サイエンス探究シリーズ

偉人たちの挑戦

5

生物学編

東京電機大学 編

東京電機大学出版局

巻頭言
社会の中のデザイナー（Designers in Society）
吉川弘之

　100年間で科学技術の大変革が起こり，近年の情報技術は急速な進化を遂げています。現在，私たちは豊富な科学的知識を持っています。人類は科学の恩恵の下で豊かさを増し，安全を獲得してきました。しかし，今の社会にはさまざまな問題があります。国際関係の緊張，地域紛争の激化，貧富の差の拡大，地球環境問題，自然災害，科学技術の副作用などです。これらの問題解決を望む社会的な期待が高まっています。

　こうした課題は1970年代から議論され，1999年の世界科学会議で，科学者の研究は平和や開発，社会のためであるべきと宣言されました。これを受け国連で「ミレニアム開発目標」（2000年）が，さらに2030年を目標にした持続可能な開発目標（SDGs）が策定されました。

　科学はこれまで自然現象をはじめさまざまな「対象」を理解できるようにしてきました。自然科学は宇宙や生命を，人文科学は言語や心理を，社会科学は社会現象を解明の対象として急速に理解を進めてきました。さらに科学的知識は行動の根拠を与えてくれました。人類は科学の発展とともに行動の様式が変わり，行動範囲も広がっていきました。

　産業革命は自然科学に支えられた工学技術の発生と同時並行であり，その後の機械化，自動化を経て現在の情報化社会を生み出しています。農業を支える農学は多様な科学的知識の統合により豊かさを増大させる主役でした。医療・製薬は20世紀に始まる分子生物学に基礎をおく生命科学の急速な発展によって革命的に飛躍し，人の健康に大きな恩恵をもたらしました。人文社会科学においても，法学，言語学，文化人類学，社会学，経済学などが文化，法律，政治，経済，通

商，国際関係などの政策を中心とする社会的，さらに個人的行動に広範に寄与しています。科学は私たちの理解および行動に大きな貢献をしてきたと言えます。

しかし，ここで1つの疑問が生じます。今日，人類は多くの科学的知識を使って人工衛星の打ち上げに成功し，有人衛星で宇宙飛行士が何か月も暮らし，その人たちのために食糧を届けることができます。しかし，紛争地帯で飢餓に苦しむ人たちに食糧を届けることはできないのです。

これはなぜでしょうか。私たちが実現可能と考える行動を実際に実現できるか否かは，科学だけでは説明できない場合があり，私たちが望むことを実現するための行動は，科学的知識だけでは厳密に計画できないのです。その理由は，実現可能な行動は知性だけでなく，感性をも含む世界で行われるからなのです。知性による思索能力を拡大するものとして体系的な科学的知識があり，それは増加中です。しかし，感性による行動能力のための体系的知識はまだ確立されていないのです。

この新しい体系的知識を，「デザイン学」と呼びます。これからの社会は，科学的知識を超えた多くの創造的なデザインという仕事が人々を待っており，デザイナーの役割が大きなものとなるでしょう。そしてそのデザイナーとは独自の思索の骨格を持ち，人々に語りかける言葉を持つ，社会の中のデザイナー（Designers in Society）であるべきなのです。

吉川弘之（よしかわ・ひろゆき）
東京大学総長，放送大学長，産業技術総合研究所理事長，科学技術振興機構研究開発戦略センター長を経て現在，東京/大阪国際工科専門職大学学長，日本学士院会員。東京大学名誉教授，日本学術振興会学術最高顧問，産業技術総合研究所最高顧問。この間，日本学術会議会長，日本学術振興会会長，国際科学会議（ICSU）会長，国際生産加工アカデミー（CIRP）会長などを務める。
工学博士。一般設計学，構成の一般理論を研究。それに基づく設計教育，国際産学協同研究（IMS）を実施。主な著書に，『一般デザイン学』（岩波書店，2020年），『吉川弘之対談集　科学と社会の対話』（丸善出版，2017年），『本格研究』（東京大学出版会，2009年），『科学者の新しい役割』（岩波書店，2002年）など。

まえがき

　本書は，中学生や高校生を主な対象に，科学の分野で探究を深め偉大な発見や発明をした偉人たちの業績と生涯をわかりやすく紹介しています。真理の追究や人の役に立ちたいと自らの探究テーマを定め，さまざまな困難にも負けずについに偉業を成し遂げた先人たちの，熱意や姿勢を時間を超えて体験して欲しいと思います。また，「エピローグ」として関係の先生方から最近の研究紹介，偉人・偉業の解説等，さらに「読書案内」を寄稿いただきました。科学への興味や関心を深めるきっかけにして欲しいと願っています。

　さて，"偉人"と聞くとみなさんはきっと，裕福な家に生まれ，恵まれた環境で育ち，名門大学に進学して優秀な成績で卒業し，将来を期待される中で大きな成功を手にして幸福な人生を送った成功者のようなイメージを持つ人が多いのではないでしょうか（これが本当の成功かどうかわかりませんが…）。しかし，本書に登場する偉人たちが順風満帆の生涯を送った人ばかりかというと，必ずしもそうではありません。むしろ貧しい家に生まれ，周囲の無理解に苦しみ，戦争や差別などの厳しい環境の中，それでも諦めずに探究を続けた人が数多くいるのです。

　そうした偉人たちに共通するのは，真理の追究や人の役に立ちたいという思いを胸に，それまで誰も発見また解決できていなかった問題を，人からでなく自分自身が探究テーマとして定めたこと。そしてどんな逆境にあっても，また失敗を重ねても試行錯誤を繰り返し，粘り強く探究を続け，その結果，偉大な成果にたどり着いたことと言えるでしょう。そう言うと，みなさんの中には「成功しなかったらタダの人。自分は努力しても無駄なだけだ」と考える人もいるでしょう。もちろん探究しても成功するとは限りません。しかし探究しなければ成功はないの

も事実です。また，すべての人が成功するわけでもありません。しかしたとえ成功に至らなくても，どんなテーマでも探究する姿勢を学ぶことは貴方にとってかけがえのない財産になります。そしてその姿勢は社会のさまざまな場面で必要なのです。本書に登場する偉人たちは教科書の中の無味乾燥な人物ではありません。みなさんと同じく喜びや悲しみ，悩みを持つ同じ人間，みなさんの先輩なのです。

　さて，みなさんが生きる今日の世界にはさまざまな課題が山積しています。国連で採択された2030年の達成を目指すSDGsに掲げられた目標に向かって，いま世界がその達成を目指しています。地球環境や生命倫理，感染症やAIやIoTなどの諸課題は，どれひとつをとっても1つの分野だけでは解決できません。環境学，生物学，医学，工学，情報学，社会学，法学，心理学などさまざまな分野の知をデザインし総合した「総合知」をもとに課題解決に取り組む時代になっているのです。巻頭言をじっくり読んでみてください。そして課題解決のためには知識を鵜呑みにせず，自分の頭で考え判断し学び，課題を設定し挑戦していく姿勢が大切です。いま学校では，先生が教壇で教える形式の授業が多いと思います。しかし授業の主役は生徒なのです。先生は生徒の学びや探究をサポートする役割を担うように変化していくことでしょう。学ぶのはみなさん自身です。未来を生きていくのはみなさん自身なのですから。

　本シリーズは，偉人を紹介した国立研究開発法人科学技術振興機構サイエンスポータルの動画「偉人たちの夢」（1999年〜2008年）をベースに書籍用に再編集したものです。また巻頭言や各偉人の「エピローグ」は，未来を担うみなさんのためならと第一線の先生方から望外のご協力を賜りました。深く感謝申し上げます。

編者記す

目　次

「私は金のために発見しようと
考えたことはない。
ただ，私の心の中に起こった
衝動によってのみ
仕事を続けてきた」

顕微鏡で微生物の世界を探求

アントニー・ファン・レーウェンフック 1632-1723

Antonie van Leeuwenhoek

略歴

1632 年	ネーデルラント連邦共和国（現在のオランダ）のデルフトで生まれる。
1670 年頃	独学で質の良い単式顕微鏡の製作を始める。
1673 年～	原生生物，細菌，淡水性の微生物，魚類の赤血球の核，横紋筋の微細構造などの発見をイギリスの王立協会（ロイヤル・ソサエティ）に 50 年にわたり手紙で報告。
1674 年	淡水性の繊毛虫，バクテリア，赤血球を発見。
1677 年	犬とヒトの精子発見。
1680 年	外国人としては初めて王立協会会員となる。
1723 年	90 歳で逝去。

雨水の中の生き物

　時は1674年，ここはオランダの小さな町デルフトである。町の中央を運河が流れ，運河の左右にはライムとポプラが茂り，静寂に満ちた空間を作り出している。

　この町の一角にアントニー・ファン・レーウェンフックの経営する織物商があった。しかし，主人のレーウェンフックは，今日も店にはいない。店は店員に任せて自分はいつものように家の一角にある仕事部屋で夢中になって何かをしている。彼は小さなガラス管を炎で真っ赤に熱し，髪の毛ほどの細さに伸ばしていた。いったい何をしようというのだろうか。

　部屋の片隅では19歳になる娘のマリアが掃除の手を休めて，「ああ，また始まった」という顔で父親を見ていた。レーウェンフックはガラス管を小さく折り，それを持って部屋を出て行った。

　庭に出ると彼は雨水を溜めるために置いてあった素焼きの壺から雨水を1滴ガラス管の先に採り，部屋に戻った。そして慎重な手つきでガラス管の先を奇妙な形をした装置の下に差し込んだ。その装置は金で作られた小さな四角い板が2枚組み合わされたもので，上の板の中央に穴が開いており，そこに直径3ミリほどのレンズがはめ込まれていた。ぶつぶつ何かつぶやきながらレンズを覗いていたレーウェンフックが突然大声をあげた。

図1.1　初期レーウェンフック型の顕微鏡（複製）[1]

「マリア，早くこっちへおいで！ これを見てごらん」

　父の声に急いでレンズを覗き込んだマリアは，目の前に広がる驚くべき光景に息をのんだ。レンズの下では奇妙な形をした生き物が上に行ったり下に行ったり，まっすぐ動くかと思えば急に曲がったり，くねくねと身をよじらせたりしながらうごめいていたのである。それもすぐには数えきれないくらいたくさんの数だった。再びレンズを覗き込みながらレーウェンフックは興奮を隠せず叫び続けた。

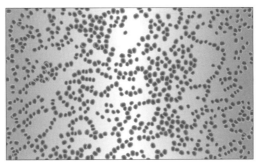

図1.2　顕微鏡で見た微生物(イメージ)

「1滴の雨水の中にこんなにもたくさんの生き物がいる。泳いでいるぞ。ぐるぐる動き回っているぞ。こいつらはこの目で見えるどんなものより1,000倍も小さい生き物なんだ」

　この日こそ人類が誕生してこのかた，まだ誰一人として見たことのなかった微生物を顕微鏡がとらえた最初の日だった。レーウェンフック，このとき42歳だった。

肉眼では見えないような小さな世界を覗き込んだレーウェンフック。でも，彼の名前を知っている人はあまり多くはないでしょうね。なにしろ17世紀の人ですし，研究が本業の学者ではないアマチュア研究家でもあったからです。しかし，この人の名前は顕微鏡の話が出れば必ず登場します。コッホやパスツールといった細菌学者の話のときには，その先駆者として間違いなく登場する人なのです。

ここでは，顕微鏡を通して科学の発展に大きな功績を残したアントニー・ファン・レーウェンフックの生涯を取り上げます。

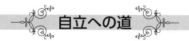

自立への道

アントニー・ファン・レーウェンフックは 1632 年 10 月 24 日，オランダの古く美しい町デルフトで生まれた。父親は籠を作る職人，母親は酒造業者の娘で，町では中流階級に属する生活だった。

レーウェンフックが 5 歳のとき，父親が亡くなりました。まもなく母親は画家と再婚します。義理の父はレーウェンフックが 16 歳のときに亡くなり，これをきっかけに商業都市アムステルダムに行き，織物商の住み込み店員になりました。

将来織物商を開くため，レーウェンフックは真面目に働いた。仕事ぶりを認められ，すぐに会計係に抜擢されるが，あまりこの仕事には情熱がわかなかった。「明けても暮れても勘定，勘定。ちくしょう，夢の中にまで帳簿の数字が追いかけてくる。金勘定ばかりして一生を終えるなんて考えただけでもゾッとする」

それでも 6 年間は頑張って織物商経営のノウハウを身につけ，生まれ故郷のデルフトに帰ります。レーウェンフック 21 歳の頃でした。

デルフトに戻ったレーウェンフックは結婚し，織物商を開業した。その後，デルフトの役人として働くようになる。子どもは 5 人生まれたが，4 人は亡くなり，2 番目の娘マリアだけが無事に成長した。マリアは生涯結婚せず，レーウェンフックの世話をし続け，その死をみとった。

観察のためのレンズ作り

レーウェンフックがいつ頃からレンズに興味を持ったのか正確な記録はありません。しかし，30歳になる前に何の気なしに手にした虫眼鏡で物が大きく見える面白さにひかれ，「よし，もっと大きく鮮明に見えるレンズを作ってやろう」と決心したようです。

　レンズは良質なガラスを磨いて作られる。しかし，手先の繊細な技術と，単調な作業にも音を上げない強い忍耐力がないと作るのは難しい。レーウェンフックは，そのどちらにも人並外れた才能を持っていた。レンズ磨きは眼鏡作りの職人から習い，さらに，錬金術師や薬剤師のもとを訪れて金や銀を細工する方法を学んだ。

　レーウェンフックは，暇さえあればレンズ作りに精を出した。1個作ってはまだ物足りないと，もっと性能の良いレンズを求めて新しいレンズの製作に手をつける。こんなことの繰り返しでレンズの数は瞬く間に増えていった。

とにかくレーウェンフックは，好奇心いっぱいの人間でした。自分で作ったレンズで身の回りにあるものを次から次へと観察していったのです。例えば，どんなものを覗いていたかというと……。

　自分の皮膚のあかを集め拡大して眺める，商品の織物の毛をほぐして丸太ほどに拡大して観察する，シラミの足を拡大してうまくできているものだと感心する，肉屋から牛の目玉をもらってきてその見事な水晶体構造を飽きずに眺める，ハエの頭を細かく解きほぐしてその脳髄の中身を覗き，信じられないほど複雑な模様に感動する，といった具合だった。

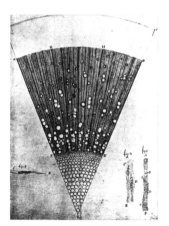

図1.3　レーウェンフックの顕微鏡観察スケッチ（トネリコの木）[2]

レーウェンフックは，もう身の回りには覗くものはなくなってしまうほど観察しまくりました。しかし，彼には学問研究をしているのだという意識は全然ありません。面白いからひたすら覗いていたのです。そんな年月が20年ほど過ぎたとき，事態は思いがけない展開になります。

素晴らしい顕微鏡

　ある日，同じ町に住んでいた友人で医者のレニエ・デ・グラーフがレーウェンフックの顕微鏡を覗かせてもらった。彼は顕微鏡の性能があまりにすごいことに驚き，当時世界一の権威を持っていたイギリスの王立協会の事務長オルデンバーグに，レーウェンフックの素晴らしい顕微鏡のことを書いて知らせた。

　オルデンバーグは，手紙に添えられていたカビ，ハチの毒針と脚，シラミの針についてまとめたレーウェンフックの観察メモを読み，興味を持った。彼はレーウェンフックにもっと研究成果を送るように頼んだ。オルデンバーグの手紙を受け取ったレーウェンフックは喜んで承諾し，こう付け加えた。

「私はこの種の依頼はいつも断ってきました。理由の1つは，自分の考えをうまく表現できる文章力を持っていないからです。2つ目の理由は，私は単に商売だ

けをやってきた人間ですから，語学や科学の教育も受けたことがありません。3つ目は自分のすることに他人から非難や反論をされるのが嫌だからです」

実際，彼が話したり書いたりできるのは，母国語のオランダ語だけでした。学問の世界では絶対必要とされたラテン語は読み書きができませんでした。科学的知識もなく，科学の教科書など1冊も読んだことはなかったのです。

　しかし，このレーウェンフックの観察メモは，王立協会の会員たちの間で話題になった。「こんなに細かいところまで見えるはずがない，こいつはただのペテン師だ」という者や，「これはすごい観察記録だ」という者など反応はさまざまだった。これをきっかけに，それからおよそ50年間にわたってレーウェンフックは自分の観察したことを王立協会に送り続けた。それは彼独特のスタイル，つまり論文形式ではなく，まるで気軽なおしゃべりのようなオランダ語で書かれた手紙によるものだった。

「ある日，庭から1滴の雨水をとってきて覗いてみたんだ。驚いたよ。こんなにもたくさんの生き物がいる。ぐるぐる動き回っているんだ。こいつらはこの目で見えるどんなものより1,000倍も小さい生き物なんだ」

1滴の雨水の中に多数の微生物が生きているというレーウェンフックからの報告は，王立協会の科学者たちを驚かせました。しかし，もっと驚くべきことをレーウェンフックは知らせてきたのです。

　彼は1滴の雨水の中でおよそ270万匹以上もの生き物がうごめき，どんどん繁殖するさまを観察したと王立協会に報告したのである。これは単なる妄想か。それとも真実か。

　王立協会は，協会の実験主任でもあるロバート・フックに最も高性能な顕微鏡を製作させ，それによってレーウェンフックの報告を確かめることにした。フックは数年前に自作の顕微鏡を使って『ミクログラフィア』という優れた観察記録集を出版していた人物である。

　1677年11月15日，王立協会の会合が開かれた。フックが最新の顕微鏡を持ち込み，実験用の水滴がセットされた。顕微鏡を覗き込んだ人々は1人残らず驚きの叫び声をあげた。

　レンズの下ではレーウェンフックが報告したとおりの不思議な光景が繰り広げられていたからである。

　その後，王立協会は彼を正式な会員として迎え入れ，協会の紋章が刻まれた銀製の箱に入った美しい会員証をレーウェンフックに贈った。レーウェンフック，このとき48歳だった。

　趣味で顕微鏡を覗いていたアマチュア研究家が，なんと当時世界最高峰の科学者団体の会員になってしまったのです。
　さて，王立協会も驚くような顕微鏡を作り出したレーウェンフックでしたが，おかげで彼はすっかり有名人になりました。評判を聞いてロシアの大帝やイギリスの国王など王侯貴族がわざわざレーウェンフックの住むデルフトまで顕微鏡を見に来るほどでした。得意気に顕微鏡を披露していたレーウェンフックでしたが，彼はちょっと変わった性格でした。彼の性格を表すこんなエピソードが残されています。

　あるとき，訪問客に顕微鏡を見せていたレーウェンフックが，わずかな時間席を外した。訪問客は何気なく顕微鏡を手に取り覗いた。そこへレーウェンフック

が戻ってきて，その光景を見るなり眉間に青筋を立てて怒鳴った。

「何をしてるんだ？」

「え，いやあ。私はただ……」

「許せん。帰れ。もう二度と来るな！」

顕微鏡の秘密を盗まれたらたまらないというわけで，自分が顕微鏡を手にしていないときには絶対に他人に覗かせなかったそうです。驚くぐらい用心深い性格だったようですね。

未来へと続く発見——好きこそものの上手なれ

レーウェンフックは肉眼では見えない微生物を顕微鏡で見つけたが，その重要性には気づいてはいなかった。これがいかに重大な事だったかが明らかになるには，それから200年近くの歳月が必要だった。

1876年，ドイツの医師ロベルト・コッホが顕微鏡を使って炭疽菌を発見，1882年には細菌史上最も重要な発見といわれる結核菌の発見に成功した。同じ頃，フランスのルイ・パスツールは，酵母菌，ニワトリコレラ菌を発見し，1885年には人類を恐れさせていた狂犬病菌と戦い，ワクチンの開発に成功した。

人類を死の恐怖から救ったこれらの発見は，いずれも顕微鏡がなかったら不可能なことでした。肉眼では見えない微生物を初めて実際に見た人としてレーウェンフックの名は永遠不滅といえるでしょう。

レーウェンフックは年老いても信じがたいほど健康で研究熱心だった。歳のせいで歯がぐらぐらして抜けると，抜けた歯を顕微鏡でつぶさに観察していた。

1723年8月27日，肺の病気が悪化したレーウェンフックは，一人娘のマリアに見守られながら生まれ故郷デルフトで生涯を閉じた。90歳だった。

「好きこそものの上手なれ」という言葉がありますが，レーウェンフックほどこの言葉が当てはまる人はいませんね。とにかく物を拡大して見るのが好きというだけで，ここまで科学に大きな貢献をしてしまったのですから頭が下がります。なんとも偉大なアマチュアでした。そんなレーウェンフックはかつてこんな言葉を残しています。

「私は金のために発見しようと考えたことはない。ただ，私の心の中に起こった衝動によってのみ仕事を続けてきた」

より小さいものを観察・測定する技術の進展

物質・材料研究機構 構造材料研究センター
グループリーダー　原　徹

　より小さなものを正確に観察したり測定したりする技術は，学問的だけでなく産業的にも常に求められています。通常の光（可視光）を使った光学顕微鏡では0.2ミクロン（0.0002ミリ）程度が識別の限界（分解能）となるため，可視光の代わりに，さらに小さいものが観察できる電子線を使うことが考案されました。電子線のレンズは，ガラスではなく磁場を使います。現在では電子顕微鏡にもいくつかの種類がありますが，最初，光学顕微鏡と同様に，薄い試料に光（電子線）を透過させてレンズで拡大する「透過電子顕微鏡」（TEM：Transmission Electron Microscope）が1930年代に開発されました。TEMは，試料内部を通ってきた電子線で像を作るので，試料内部の構造を調べるために使います。次いで1950年代に，電子線を細く絞って試料上に照射しながら走査（画像を多くの線に分解し，電子線を順番に動かして面を作ること）し，表面から反射した電子の強度を表示する「走査電子顕微鏡」（SEM：Scanning Electron Microscope）が実用化されました。SEMは表面の形態や構造を調べるために使われます。SEMの場合は拡大のためではなく電子線を細く絞るためにレンズが使われます。さらに，TEMの一種として，細く絞った電子線を薄い試料に照射しながら走査し，透過した電子線の強度を測定しながら像を作る「走査透過電子顕微鏡」（STEM）が広く使われるようになりました。21世紀に入った頃からは，コンピュータの発達に伴って機器制御やデータ解析の能力が飛躍的に進歩し，TEMやSTEMではすでに原子より小さな分解能での観察までできるようになっています。これらの電子顕微鏡では，拡大機能と分析装置とを一緒に使うことで，元素の分布を像として見ることができるようになっており，温度や力などを変化させながら観察するなど，さまざまな目的に応じた観察ができるようになっています。

　最新の電子顕微鏡による観察の例をいくつか紹介します。図1.4はSTEMで原

子レベルの分解能で元素の分布を観察したものです。試料はチタン酸ストロンチウムという物質で，左の図のように原子が並んでいます。拡大像と元素分析の結果を右に並べています。チタンTiとストロンチウムSr，酸素Oの原子の配置が観察できています。このような原子レベルの観察ができると，新しい性能を持つ材料はどのような原子の並びを持つかがわかり，さらに，良い材料を作り出す指針が得られます。図1.5は，SEMを用いた立体的（三次元的）な観察の例です。す

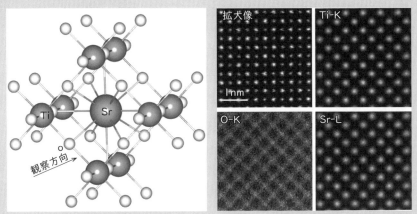

図1.4　チタン酸ストロンチウムの結晶の原子の配置（左）と
走査透過電子顕微鏡による観察・分析結果（右）

図1.5　シリコンデバイスの配線の三次元観察（左）と，直交断面の例（右）

べての生物や材料の組織は三次元の組織を持っているので，本来の姿を知るには三次元的に観察する必要があります。図1.5は半導体デバイスの配線を三次元的に観察したものです。本来SEMは，表面の観察をするものですが，SEM観察のあとに表面を薄くイオンビームで削り，新たな表面を観察することを1,000回以上繰り返し，最後にそれをコンピュータの中で重ね合わせて立体像に再構築します。この方法を使うことで，生物や材料の組織の立体的な配置などまで調べることができるようになっています。

ミクロにひそむ不思議　電子顕微鏡で身近な世界を見る
牛木辰男・甲賀大輔 著，岩波ジュニア新書(2008)

身の回りのものや生物などを走査電子顕微鏡で拡大すると何が見えてくるでしょうか。普段見ている外形からは想像できない機能や構造が見えてきます。生物の電子顕微鏡観察に熟達した著者らが撮影した多くの写真と，それぞれの説明が興味深いです。また，電子顕微鏡の種類や走査電子顕微鏡の仕組みについても簡潔な解説があり，入門書として最適です。

「神は，分類という洞察力を
　植物学者に授けた。
　それなくしては自然の秩序が
　保たれることはない」

植物分類の創始者
カール・リンネ
Carl von Linné

1707-1778

🎖 略 歴 🎖

1707 年	スウェーデン・スモーランド地方のロースフルトで生まれる。幼少より花を好み，「小さな植物学者」と呼ばれる。
1728 年	ウプサラ大学医学部に入学する。
1730 年	論文「植物の婚礼序説」が高く評価され，学生と兼任でウプサラ大学で植物学の講師となる。
1732 年	ラップランドへ植物採集旅行へ出かける。
1735 年	オランダへ渡り，代表作『自然の体系』を発表する。
1739 年	ストックホルムで医師を務める。
1741 年	ウプサラ大学教授に就任。
1753 年	『植物の種』を出版。『自然の体系』と合わせて「二名法」を確立する。
1778 年	70 歳で逝去。

美しい花はいつ見ても心が和みますね。ところで，現在までに知られている地球上の植物には，そのすべてに「属」と「種」の２つからなる学名がつけられています。こうした名前のつけ方は「二名法」と呼ばれる方法なのですが，この統一した名前のおかげでどれだけ研究上の混乱が救われたか計り知れません。この命名法の創始者で，分類学史上最も大きな足跡を残したといわれるカール・リンネ。しかし，その実像は案外知られていません。さあ，リンネの素顔に迫る旅に出てみましょう。

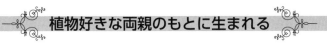

植物好きな両親のもとに生まれる

　カール・リンネは1707年，スウェーデンに生まれた。父親は教会の牧師で母親も牧師の娘だった。信心深いリンネ一家は，神の教えに従い，つつましく勤勉に暮らしていた。

リンネにとって両親の影響はとても大きなものでした。なにしろ２人とも大の植物好き。父親は仕事を終えると，そそくさと家に戻り，庭いじりに没頭しました。母親はリンネを身ごもったとき，大部分の時間を自宅の庭で過ごしていたそうですから，母親のお腹にいたときから将来の道が決まっていたのかもしれませんね。

　1728年，リンネは20歳のとき，スウェーデンで最も伝統あるウプサラ大学の医学部に入学する。医者になるため入学した大学であったが，子どもの頃から植物に親しんできたリンネの関心は植物ばかりだった。当時の医学は薬草を使うこともあって，植物学と医学は密接な関係があったのである。

入学から2年目に書いた論文も植物に関するものでした。しかし，この論文（「植物の婚礼序説」）が高く評価され，リンネは学生の身でありながら植物学の講師を兼任するまでになったのです。植物に関する知識に加え，礼儀正しさと明るい性格も重なって，先生たちの評判も良かったようです。

　1732年，リンネはスウェーデンの北ラップランドへ政府主催の植物調査に出かける。珍しい植物の採集がしたかったリンネにとって，この調査旅行は願ってもないチャンスだった。調査旅行の申請をする際，リンネは自分がいかに適任であるか手紙の中でこう記している。

「私はスウェーデンの市民であり，健康で，粘り強く，植物を中心とした博物学の研究者である。と同時に，未婚であり，秘境を旅することは何の問題もない」

図2.1　ラップランドの民族衣装を着るリンネ[1]

なんとまあ自信たっぷりの売り込みですね。ともかく，5か月を費やした調査旅行は，リンネに大きな成果をもたらしました。未知の植物を多数採集したのはもちろん，珍しい動物のスケッチをたくさん描き残したのです。また，ラップランドの民族衣装を持ち帰り，それを身にまとって社交の場に出席し，人々から喝采を浴びたりもしたそうですから，リンネは植物学会においてひときわ目立つ存在となっていたのです。

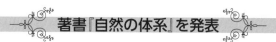

著書『自然の体系』を発表

　1735年，28歳のリンネは学位を取るため故国を離れオランダに向かった。当時のオランダはスウェーデンよりも学問の水準が高く，植物園や博物館の施設も充実しており，研究を進めるには最高の環境だったのである。

リンネはオランダで多くの学者や実業家と会い，植物園を訪れ，園芸施設を見て回ります。精力的な活動を続けたリンネは，その後，1人の実業家と知り合い，彼が経営する植物園の園長の仕事を任されることになったのです。
その頃リンネは，裕福な医者の娘と婚約していたのですが，留学の費用は義理の父親がすべて負担してくれました。留学費用の援助や仕事の紹介などが必要なとき，リンネには不思議なぐらい必ず救いの手が差し伸べられたのです。牧師の息子であるリンネが「自分は神に守られている」と思い始めても無理もなかったことでしょう。なぜなら「自然は神によって，秩序正しく作られたものだ」と信心深いリンネは固く信じていたからです。「神が作った自然の神秘を1人でも多くの人に伝えることは選ばれた者の義務であり，それを遂行するのが植物学者である」と考えていたのです。

　オランダへ渡った1735年の暮れに，リンネは，代表作『自然の体系』を発表する。これは当初12ページの小冊子だったが，リンネは20年の間に改訂を重ね，最終的に2,355ページの書物となった。この本の中で彼の学説が全貌を現し，たちまち評判となったのである。

リンネが生涯を通じて研究を続けた植物学といえば，現代では少々地味な学問と思われています。しかし，18世紀のヨーロッパではそうではありませんでした。むしろ時代の先端を行く新しい学問だったのです。

　大航海時代を迎えた当時のヨーロッパは，未知の世界からもたらされる珍しい動物や植物が社会的話題となっていた。人々が競うように珍しい植物を集め，栽培に乗り出す一方で，植物学という学問も人気を集めていたのである。

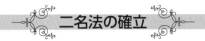

二名法の確立

ところが，数ある植物をきちんと分類する方法はほとんど確立されていませんでした。地域によって花の呼び名が異なり，混乱が絶えなかったのです。そこでリンネは，これまで調べてきた植物の特徴を整理し，分類学の基礎となるグループ分けを行いました。

　リンネは最初に，地球上の生物を「植物界」と「動物界」に分け，共通する特徴ごとにグループを「界」「綱」「目」「属」「種」の5つに細分化した。
　例えば，関西地方に生息する「カンサイタンポポ」という名は「種」に該当する。

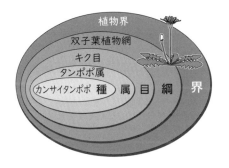

図2.2　生物を「植物界」「動物界」に分け，「界」「綱」「目」「属」「種」に細分化

そのうえに同じ特徴を持つ個体をまとめたタンポポという「属」がある。さらに，タンポポと似た特徴を持つ「属」をグループ化し，「キク目」という「目」にまとめる。「目」の上には「綱」というグループがあり，この中でタンポポは「双子葉植物綱」の1つに分類される。そして最後に，異なる「綱」を取りまとめているのが「植物界」という「界」である。これを動物に例えると，「ニホンイタチ」という「種」は，「動物界・哺乳綱・食肉目・イタチ属」に分類される。

　リンネの分類は5つのグループにとどまったが，現在では7のグループ（界・門・綱・目・科・属・種）で分類されている。「種」は生物分類上の基本的な単位で，現在では約143万種が登録さている。

実をいうと，地球上の生物を分類分けしようとする試みは，リンネよりはるか昔から行われていました。その代表者ともいえるのが学問の父・アリストテレスです。

　アリストテレスの研究分野は，哲学や数学のほか生物学にも及んでいた。彼は植物を除く地球上の生物を「有血動物」と「無血動物」に分け，細分化をはかった。「有血動物」は，哺乳類を意味する「胎生四足類」，爬虫類と両生類をまとめた「卵生四足類」，そして「魚類」「鳥類」「人類」の5つ。「無血動物」はイカやタコなどの「軟体類」，ザリガニなどの「甲殻類」，そして「昆虫類」や「貝類」の4つである。アリストテレスの研究は，血液の有無と同じ生物が複数の分類に当てはまらないことを前提としていた。

アリストテレスによる分類は，植物の方はほとんど研究が進められていませんでした。考えてみれば人間も動物の一種ですから，植物の特徴や類似性を見つけるよりも動物の方が観察しやすかったのかもしれません。それはさておき，リンネの功績は植物のグループを5つに分けたことだけではありません。植物の名前を決めるうえで欠かすことのできない「二名法」と呼ばれる命名法を考案したのです。

「二名法」とは，生物の名を「属」と「種」の組み合わせで示す方法である。それまでの命名法は，属名の後にその生物の特徴を表す長い文章がつけられていた。この煩わしさを解消するためにリンネは「属」を名詞1つ，「種」を形容詞1つで表すことを考えた。

　例えば，自然の体系で最初に紹介される動物は「人間」であり，学名を「ホモサピエンス」と明記している。「ホモ（homo）」はラテン語で「人」を意味し「属」に該当する。「サピエンス（sapiens）」は「知恵」を意味する言葉で「種」を示している。2つの単語を組み合わせる簡潔な呼び方は，その後，世界的な基準となったのである。

リンネは，植物を細かく分類するにあたって，「性体系分類」という方法を用いました。植物を動物に置き換えた場合，「おしべ」と「めしべ」は，それぞれ「オス」「メス」の生殖器官となることを前提にして，その数を比較することで植物を分類できると考えたのです。しかし，彼の分類法は必ずしもすべての人に好意的に受け入れられたわけではありませんでした。

図2.3　サルビア[2)]

図2.4　クヌギ[3)]

リンネは植物が花粉によって子孫を増やす生態を人間の結婚生活に例え，著作の中で「おしべとめしべ」について，「夫と妻」という表現を用いていた。サルビアなど，2つのおしべを持つ植物は「1つの結婚で，妻が1人，夫は2人」。クヌギのように1本の植物で雌花と雄花の両方を付けるタイプは「同じ家で別々のベッドに寝る」などと表現した。

　敬虔なクリスチャンだったリンネは，生物の営みは神がすべて平等に分け与えたものとしてこうした表現を使ったのである。

なんともわかりやすい分類方法ではあったのですが，リンネの分類に基づくと，夫1人に対し妻1人の植物はごくわずかで，複数の夫に妻が1人といった植物が多かったようです。こうした表現は道徳に反しているという理由で眉をひそめる知識人も少なくありませんでした。もっとも，一般市民には大受けしたようで，リンネは学会だけではなく，社会的にも有名な人物となったのです。

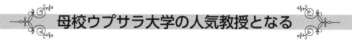

母校ウプサラ大学の人気教授となる

　スウェーデンに帰国したリンネは，34歳のとき，母校ウプサラ大学に教授として迎えられた。ユーモアを交えたリンネの講義は大人気で，教室はいつも満員だった。

話術が得意なリンネは，植物学を豊かな表現で教えました。花粉によって花が咲く様子を人間の結婚に例えて説明すると，学生たちは興味深く聞き入ったそうです。野外実習に向かうときなどは学生たちとラッパや太鼓を鳴らしながら行進するなど，彼の授業はまるでお祭りのような賑やかさでした。

　森の中でリンネは，自然の美しさと神秘性について熱く語った。彼の周りには植物の好きな学生や，リンネの人間的魅力にひかれた若者たちが集まり，親密なグループが作られていった。人付き合いの良いリンネは，植物同様に彼らを愛し，

卒業後も面倒を見ていた。やがて彼らのうち何名かは，新しい植物を探しに世界へ旅立っていったのである。

リンネが今の時代に生きていたら分類すべきことが山積みになって，気の休まる暇もなかったかもしれませんね。
リンネは植物学の第一人者として世界にその名をとどろかせました。かつてリンネは，「自分は神に守られた研究者だ」と思っていた時期がありました。リンネを神様のように崇拝する弟子たちは，その意思を継いで世界に飛び出していきます。リンネの思想を継いだ学生たちは，まさしく神の使いである「使徒」というべき存在だったのかもしれません。その中から後に優秀な学者も何名か誕生し，彼らは世界中で命がけの活躍をすることになるのです。

自然の神秘，神を信じる心

　使徒の1人，ペール・カルムは，当時のヨーロッパ人にとって未知の世界だったアメリカ大陸へ渡った。植物採集のかたわらカルムは，珍しい鳥や魚，動物などを観察し記録した。

　調査を無事に終えることのできた使徒ばかりではなかった。ペール・フォルスコールは，アラビア奥地の探検に出かけ，マラリアにかかり異国の地で命を落とした。未知の植物を求める旅は，死と隣り合わせの冒険だったのである。

　カール・ツンベリーは1775年，鎖国中だった日本を訪れた。行動は制限されたが，精力的に日本の植物を調べ，収集した。1年半の滞在を終えてスウェーデンに戻ったツンベリーは，大量の標本をリンネの植物体系に従って分類し，『日本植物誌』を刊行した。この本によって，さまざまな日本の植物が学名をつけられて世界に紹介されたのである。

ここに紹介したのはわずか3人ですが，ほかにもたくさんの使徒たちが世界各地に出かけ，貴重な資料を持ち帰ります。リンネが自然の体系を何度も改訂していったのは，新しい植物を次々と発見した使徒たちの努力が大きかったのでしょう。その後リンネは，大学教授として論文を執筆する穏やかな晩年を送りました。自然の神秘に思いを巡らせながら，リンネは論文の中で次のように記しています。

「すべての生物は神の力によって秩序が保たれており，それぞれの生育条件は神が定めたものなのだ」

　この論文を，約1世紀後に興味深く読んでいた1人の生物学者がいた。「進化論」でその名を残したチャールズ・ダーウィンである。彼は，自然の秩序を構成している仕組みを科学的に解明しようとした。その結果，リンネが主張した「神の力」という概念は，ダーウィンの進化論の前で，次第にその輝きを失っていったのである。

リンネが活躍した18世紀の時代から200年以上が経過し，植物学は大きな進歩を遂げました。神の力をたたえた自然の体系も，現在の植物分類と比べるとかなり異質なものとなってしまったのです。だからといって，リンネの功績が否定されるわけではありません。自然を大切にする気持ちを育てようという彼の思想は，環境破壊が進む現代において，むしろ必要とされるものなのかもしれません。

　リンネは脳卒中により明瞭な意識を失ったまま死の床へついた。生命の神秘に魅せられた植物学者は1778年1月，家族に見守られながら静かに息を引き取った。70年の生涯だった。

リンネはどんな研究をしているときでも，神への尊敬を忘れることはありませんでした。おそらく信じていたのでしょう。「地球上のすべての生き物を，神は平等に愛しているのだ」と。リンネが本の中で植物の営みを人間に例えて表したのは，彼自身もすべての生き物を人間と同じように愛していたからかもしれません。リンネは生前，次のような言葉を残しています。

「神は，分類という洞察力を植物学者に授けた。それなくしては自然の秩序が保たれることはない」

♣ リンネの夢 ♣

大阪公立大学大学院医学研究科 特任教授
吉里 勝利

　私たち自身も含めて地球上には多くの生物が生息しています。生物学は，生物の性質を調べ，「生物とは何か」という質問の答えを与えることを目指しています。生物の研究者は，「生物学は生物を分類することから始まり，その結果得られた成果に基づいて分類の内容を整理し新しく分類し直すことによって，生物の理解を深める学問である」とよく言います。つまり生物学は，分類に始まって分類に終わる。それほど，生物の分類学は生物学の根幹を成しています。

　紀元前に栄えたギリシャの人，アリストテレス（紀元前384-322）は，身の回りの生物の観察と研究をして植物と動物を区別し，また，動物をさらに50種類ほどに分類したことで知られています。彼は広く学問（哲学，あるいは，現代でいえば自然科学）の祖と呼ばれます。アリストテレスは，生物は鉱物と違って精神（心）を持っているとしました。その後，キリスト教が強い力を持ち，人々の文化活動が停滞した暗黒の長い中世の時代，ダヴィンチやミケランジェロなどが活躍した時代である14～16世紀の文芸復興（ルネサンス）の時代を経て，ヨーロッパは近世に入り，この時代は産業革命や市民革命が始まる18世紀後半までの間続きます。

　生物分類学の父とも呼ばれるカール・リンネは，近世の1707年に生まれ，1778年に没しました。つまり，彼は近代科学の芽生えの時代以前に活躍した人です。単純な生物が複雑化し多くの種類に枝分かれした過程（生物進化）の研究で知られるチャールズ・ダーウィン（1809-1882），および現代生物分類学に必須の学問である遺伝学の祖であるグレゴール・ヨハン・メンデル（1822-1884）より100年も前の時代の人です。リンネは，生物進化や遺伝学の概念を知ることなく，現代生物学に引き継がれている分類学を体系化した人物であると知れば，彼の生物学への貢献の大きさとその偉大さが理解できます。

　リンネは牧師に縁の深い家系の子として生まれました。牧師で，植物に強い関

提供：国立科学博物館植物研究部・北山太樹氏

図2.5　リンネの切手

左：スウェーデンの切手。『ラップランド植物誌』（1737年）を出版した頃の肖像（30歳頃）。ラップランドのサーミ人の伝統衣裳を着ている。右：ルーマニアの切手。68歳頃の肖像。

心を持ち熱心な園芸愛好家でもあった父の影響もあると思われますが，彼は，幼少の頃から植物，特に花に強い関心を示し，機嫌が悪いときに花を見せると機嫌が良くなったといわれています。すでにして花を通じて自然の美と多様性に関心を持ったのかもしれません。25歳になる頃，スウェーデン北部のラップランド地方に調査旅行に出かけ，ここでの植物のデータは後に著した『ラップランド植物誌』にまとめられています。28歳から3年間はオランダを中心に欧州大陸に滞在して医学博士号を取得し植物学の研究に打ち込みます。この間，8冊の本を発表していますが，そのうちの1つ『自然の体系』は近代分類学の出発点になった本で，この中で自然界を構成する3つの世界，植物界，動物界，鉱物界に存在する物を分類する方法を述べています。

　スウェーデンに帰ったリンネは，34歳でウプサラ大学の教授，その翌年には植物園長となり，多くの著作を著しましたが，その中の1つに『植物哲学』があります。そこで，植物を理解するためにはそれを分類し命名することが必要であると述べています。46歳のときには『植物の種』を刊行しました。それまでは植物を命名する場合，その植物に関する情報を書き連ねて命名していましたが，彼は，属名と種名だけをラテン語で記述する二名法を命名しました。この命名法は現在に至るまで世界的基準として使用されています。この本の中で，リンネは当時知

図2.6　リンネ記念庭園

られていた植物を7,700種に分類しました。ちなみに，現生人類を「知恵のあるヒト」という意味の「ホモサピエンス（*Homo sapiens*）」と命名したのも彼です。植物を分類する自然の法則を見つけることによって，"神が生物を創造した摂理を解明すること"が彼の目的であり，「夢」であったのでしょう。

　リンネの死から233年後に当たる2011年に「地球上に何種類の生物が存在するのか」という論文が発表されました。この論文は実際に知られている現存種の数を元に，その種の存在数を推定するという手法で地球上のそれぞれの生物種の存在数を推定しています。現存生物種として143万種がデータベースに登録されていますが，その論文では1,100万種の存在を推定しています。つまり，地球上にいまだ登録されていない生物が人知れずに957万種もいることになります。リンネは7,700種の植物を記載しましたが，現在登録されている植物種数は22万であり，31万種の存在が推定されています。リンネが追い求めた夢は，200年以上の時を経て，全生物種の数を推定することが現実化したことによって叶ったということもできるでしょう。しかしながら，彼の真の夢，"神（自然）が生物を創造した摂理の解明"は，現代人である私たちの夢としてあり続けています。

　リンネの時代とダーウィンの時代の間には1世紀の時代間隔があります。ダー

ウィンはビーグル号で地球上の生物の多様性を身をもって体験し，それを説明する原理を求めました。リンネの時代も生物多様性が多様性そのままで彼の周囲に満ちあふれていたと思います。2011年に発表された論文が数量的に表現したように，生物は正に多種多様な存在として私たちの現地球をいまだ生命あふれる世界にしています。しかし，リンネやダーウィンが知らなかった大きな変化が地球に始まっています。リンネの時代にはなかった，ダーウィンの時代から始まった人間活動による自然環境の変化です。自然が自然であったがゆえに生物種の多様性が保持されてきたと思われますが，自然が自然でなくなる可能性が見えてきています。このような時代の中で私はリンネの夢を追い続ける意味を考えさせられます。

参考資料
(1) 東京大学農学部創立 125 周年記念農学部図書館展示企画
農学部図書館所蔵資料から見る「農学教育の流れ」．Carl von Linne（カール・フォン・リンネ）．1707-1778.
https://www.lib.a.u-tokyo.ac.jp/tenji/125/35_36_37.html
(2)「リンネ　植物にかけた情熱の人」National Geographic 2007 年 6 月号
https://natgeo.nikkeibp.co.jp/nng/magazine/0706/feature04/
(3) Mora C, Tittensor DP, Adl S, Alastair G.B. Simpson, Worm B. "How many species are there on Earth and in the ocean?" PLoS Biol. 2011 Aug;9(8):e1001127. doi: 10.1371/journal.pbio.1001127. Epub 2011 Aug 23.PMID:21886479.

読書案内

植物記

埴 沙萠 著，福音館書店(1993)

植物は厳しい環境でもさまざまな方法で生存しており，その定住性のため地域や季節の風景になっています。万葉集のかなりの歌が植物を詠んでいるように，古代人にとって植物は生活の一部でした。このような思いを，『植物記』は写真で見事にとらえています。著者は植物の環境適応戦略を「いったい，どこでどう考えついたか，これ以上のうまい方法はない」方法と述べています。植物の魅力に取りつかれた著者は本書で，生命の素晴らしさを語っています。本書に散りばめられた文章が読者をひきつける一冊です。

（図書推薦　神戸大学・三村徹郎名誉教授）

「私が生まれ育った
　ライム・リージスには,
　たくさんの化石と
　そして小さな夢が
　埋まっていました」

古生物学の門を開いた女性化石収集家

メアリー・アニング

1799-1847

Mary Anning

🎖 略 歴 🎖

1799 年	イギリス南西部のドーセット州ライム・リージスで生まれる。幼い頃から父親を手伝って化石拾いをする。
1812 年	後にイクチオサウルスと命名される化石を発見する。
1823 年	世界で初めてプレシオサウルスのほぼ完全な化石を掘り出す。
1828 年	イギリスで初めてプテロダクティルスを発掘する。この頃からライム・リージスの化石ブームに陰りが出始める。
1847 年	47 歳で逝去。

13歳の発見

　1812年11月，ここはイギリス南西部の港町ライム・リージス。切り立った崖のすぐ下には冬の冷たい海水が迫っている。その岩だらけの崖の下を，1人の少女が崖を見上げながら歩いている。少女の名はメアリー・アニング。近くにある観光客相手の土産物店の娘だった。厚手の服を身にまとい，手には金槌を持ち，肩から布袋を下げている。メアリーの目が注意深く崖の傾斜を追う。やがて何かを発見し，その顔が輝いた。

「あ，あれは！」

　メアリーの視線は，崖上から約30メートル，海から約9メートルのあたりに釘付けとなった。そこに動物の骨と思しき化石がむき出しになっていたのである。メアリーの動きは敏しょうだった。すぐ近くまで迫っている海水を巧みに避けながら，いま来た道を一目散に駆け戻った。ちっぽけな自分の店に戻ると，メアリーは大声で母と兄を呼んだ。

「ママ，お兄ちゃん，いたよ。ワニがいたよ！」

　すぐに母親が近所の男たちを呼び集め，メアリーが見つけた場所に頑丈な足場が組まれた。そして慎重に化石の掘り出しが始まった。作業する人々に交じって手伝いながら，メアリーは興奮を隠せなかった。なにしろその化石は，今まで見たこともないほどの大きさだったのである。

図3.1　ライム・リージス[1]

小雪のちらつく中，発掘作業は3日にわたって続けられた。その間，たくさんの住民が見物に来た。そして掘り出された化石は荷馬車でメアリーの家に運ばれた。

　床に並べられた化石は見れば見るほど異様だった。頭の部分を加えると優に6メートル近くある。これが本当にワニだろうか。実は1年前にメアリーの兄が同じ場所で頭の部分を発見し，こっそりと掘り出してあった。頭の部分だけを見ればワニのように思えるが，こうして全身が現れるとどうもそうではないらしい。いったいこの奇妙な化石は何なのだろうか。実はこの化石こそ絶滅した中生代の爬虫類，後に魚竜イクチオサウルスと命名される海の爬虫類の仲間だった。

　メアリー・アニング，このとき13歳。この大発見によって自分の名が歴史に残ることになるとはまるで気づかず，いつまでもこの不思議な化石に見入っていた。

図3.2　魚竜イクチオサウルス[2]　　　　図3.3　イクチオサウルスの化石[3]

　たった13歳の少女が何億年も前に生息していた爬虫類の骨を発見するなんて実にスリリングですね。実は私，恐竜が大好きでして，例えば，最強の肉食恐竜としてその名をとどろかせたティラノサウルス，大きな体でのっしのっしと歩くブラキオサウルス，まるで突進する戦車のような重量感のあるスティラコサウルス，彼らの動き回る姿を想像するだけでワクワクします。
　地球が誕生したのがおよそ46億年前。人類が出現したのが700万年くらい前です。人類登場以前のはるか昔には，今は絶滅したさまざまな生き物が活躍していました。
　その代表格は何といっても恐竜です。なかでも肉食恐竜は弱肉強食の世界に君臨する王者でした。こうした恐竜の生態は化石によって明らかにされました。化石ははるか昔の地球の記憶をいつまでも語り継いでくれているのです。

古代の大型の動物はよく「恐竜」と呼ばれますが，メアリーの発見した化石は恐竜ではなく，別の爬虫類の仲間の「魚竜」です。「首長竜」や「翼竜」も恐竜以外の爬虫類の仲間として，それぞれ区別されています。
メアリー・アニングは，海の爬虫類を中心とした中生代の研究に大きな貢献をした化石収集家です。生活は貧しく社会的に低い地位に置かれていましたが，自分の信じた道を精一杯生きた女性でした。ひたむきな彼女の生涯は，きっとみなさんの大きな共感を呼ぶことでしょう。それではメアリーの時代に行ってみましょう。

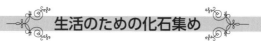

生活のための化石集め

　メアリー・アニングは1799年5月21日，イギリス南西部のドーセット州ライム・リージスで生まれた。両親は10人の子どもをもうけたが，そのほとんどは幼くして亡くなり，成人になったのはメアリーと兄の2人だけだった。

メアリーの父親は家具職人を本業としていました。しかし，仕事はほとんどなく，海岸でアンモナイトやウミユリの化石を拾っては，観光客に売って生活費を稼いでいました。

「メアリー，そんなに乱暴に掘っちゃだめだ。商品が台なしになるぞ」
「うん，わかったパパ」
　メアリーは，毎日のように父親を手伝って海岸で化石を拾ったり掘り出したりした。やがて化石を見つける鋭い観察力や，掘り出すときの器用さは父親を上回るほどに上達した。

化石を売って商売にするなんて，ちょっと意外に思えるかもしれませんね。しかし，19世紀の初めのイギリスでは，珍しい化石を集めることが裕福な紳士淑女のしゃれた趣味として大流行していたんです。

ところで，メアリーが11歳のとき，父親が亡くなります。兄は大工の見習いになり，母親とメアリーは小さな土産物店を続けましたが，生活はいつもどん底でした。一家の食卓に肉が乗ることはほとんどなく，住んでいる家もおんぼろで，嵐が来ると打ち寄せる波で家中が水浸しになったほどです。

　生活の糧である化石拾いは，幼いメアリーの腕にかかっていた。メアリーはどんな寒い朝でも掘り出し用の金槌を持って海岸を歩き回った。その日の収穫が胃袋に直結しているのだからいつも必死だった。そして，あの運命の1812年11月が訪れた。

「あっ，あれは！」

　この日の発見は偶然だったのだろうか。実際は，1年前に兄がワニに似た頭の骨を掘り出していた。その場所に大きな胴体部分が埋もれている可能性は高かった。

メアリー一家は相談しました。相当に高い値段が付く珍品には違いないが，掘り出すには崖がある程度自然に崩れてくるのを待つしかない。しかし，掘り出す前に他人に見つけられでもしたら大損です。そのため，監視役としてメアリーがこの場所を毎日見張ることになりました。

　それから1年が過ぎた11月の朝，夜中に吹き荒れた嵐によって崖が崩れ，ついに剥き出しになった骨格部分が発見されたのである。

おそらくこの発見のとき，メアリーはこれでお金が入っておいしいものが食べられるくらいにしか感じなかったでしょう。しかし，この発見を境にメアリーは大きく変わるのです。

化石についての猛勉強

　発掘は，大事件として地元の新聞に大きく取り上げられた。オックスフォード
やケンブリッジの高名な学者たちは，メアリーの発見した生き物の正体をめぐっ
て熱い議論を戦わせた。そして，多くの化石愛好者がライム・リージスを訪れ，
メアリーに会いたがった。

　学校こそ行かなかったが，メアリーはもともと賢くて好奇心の強い子どもだっ
た。自分が慣れ親しんできた化石が何億年もの前の生き物の姿を伝える貴重なも
のだと知ったとき，メアリーは猛勉強を始めた。読み書きを習い，地質学や生物
学についての書物も読んだ。そして自分が掘り出した化石について詳細に調べ，
その特徴を頭に叩き込んだ。

> 20歳を超える頃には，大学の教授ともしっかり議論できるほど
> メアリーは力をつけました。貧しいため正規の教育も受けられず，
> そのうえ女性というだけで差別された時代に，これは驚くべきこ
> とでした。

首長竜プレシオサウルスの発見

　1823年12月，メアリー24歳のとき，化石に興味を持つすべての人はライム・
リージスからの知らせに驚いた。メアリーが世界で初めて首長竜プレシオサウル
スのほぼ完全な化石を掘り出したのである。

　当時，世界一の権威を誇っていたフランスの解剖学者ジョルジュ・キュヴィエ
は，化石発見のニュースを信じなかった。どうせ田舎の詐欺師がでっち上げたイ
カサマだろうと決めつけていたのである。しかし，実物を目にすると，自分が間
違っていたと認めざるを得なかった。

「これは太古の生き物として発見されてきた化石の中で，最も珍しいものである。
姿形はまさに怪物そのもの。その首は信じがたい長さで胴体の上にヘビがくっつ

図3.4　首長竜プレシオサウルス[4]

図3.5　首長竜プレシオサウルスの化石[5]

図3.6　翼竜プテロダクティルス[6]

図3.7　翼竜プテロダクティルスの化石[7]

いているかのような異形のものだった」

化石の宝庫といわれたライム・リージスですが，発掘はときには命がけです。化石の埋まっている崖はとても険しく，そのうえ，崖に張りついて発掘作業を続けるメアリーを何度も崩れる岩や打ち寄せる波が襲いました。

　冷たい雨が降る中でもメアリーは掘るのを止めなかった。なにしろ掘り出した化石だけが一家の収入を支えていたからである。潮風にさらされたメアリーの肌は浅黒く汚れていた。しかし，その目はいつもまっすぐに前を見据えていた。

　1828年，人々は再び驚いた。29歳のメアリーがイギリスで初めて空飛ぶ爬虫類，翼竜プテロダクティルスを発掘したのである。プテロダクティルスは骨が細いため，化石が残りにくく，これまで滅多に発見されなかった。これらの化石は，ま

るでメアリーに発掘されるのを待っていたかのように地表に姿を現した。

メアリーの名は広く知られるようになり，彼女もまた，まるでつかれたように膨大な数の化石を発掘します。それを上流階級の人々や学者，博物館などに売り生活費を稼いでいました。しかし，メアリー一家の暮らしは一向に楽になりません。発掘作業には何かとお金がかかり，もうけはほとんどなかったからです。

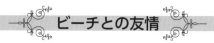

ビーチとの友情

　メアリーは生涯結婚しなかった。その理由ははっきりしていない。

　ある日メアリーは，いつものように波打ち際で，めぼしい発掘場所を探していた。そこへ背の高い紳士が近づいてきた。

「メアリー，頼みがあるんだ」

「なに？　ビーチさん」

「君の見つけた生き物たちが，太古の昔に活躍していたようすを絵にしたいんだ。いいかな？」

「もちろんよ」

図3.8　ヘンリー・デ・ラ・ビーチ作「古代のドーセット」[8]

ヘンリー・デ・ラ・ビーチは，メアリーより3歳年上，上流階級出身の学者で10代の頃にライム・リージスに引っ越してきた。メアリーと終生変わらない深い友情を結び，後にロンドン地質学会の会長となった。

　図3.8の絵はそのときのスケッチをもとに描かれたものである。題名は「古代のドーセット」。たちまち評判となり，よく売れた。

　海の中では，魚竜イクチオサウルスが首長竜プレシオサウルスをガブリとくわえ，空の彼方では翼竜プテロダクティルスが獲物を狙って旋回している。陸上には大きなワニ。海中にもさまざまな生き物がいた。これらはすべてメアリーが発見した化石ばかりである。この絵の売り上げはすべてメアリーに渡された。当時の社会では2人は身分が違いすぎたため，結ばれるはずはなかったが，メアリーの胸に一瞬とはいえ見果てぬ夢が抱かれたかもしれない。しかし，今ではもう誰にもわからない。

　一生を化石採集に捧げたメアリー。図3.9の絵はロンドンの自然史博物館に飾られているメアリーの肖像画です。ちょっとおしゃれな感じの女性に描かれていますが，実際に化石を採集しているときのメアリーはどうだったのでしょうか。発掘作業はとても体力のいる肉体労働でしたから，本当は違っていたのかもしれません。

図3.9　メアリーの肖像画[9]

愛犬トレイとの別れ

メアリーが発掘作業をするとき，愛犬トレイがいつもそばにいた。ほとんど1人きりで作業するメアリーにとってトレイはまるで我が子のように愛しい存在だった。

「トレイ，このアンモナイト盗まれないようにちゃんと番をしていてね」

しかし，ある日，崖が崩れ，岩石がメアリーとトレイを直撃した。メアリーは危うく助かったが，トレイは下敷きになり死んでしまった。あまりの悲しみにメアリーは体調を崩し，長い間病の床に臥せった。

トレイが死んだ頃から，ライム・リージスの化石ブームにも陰りが出始めます。珍しい化石もあまり出なくなり，メアリーの化石販売業も細々としたものになりました。

その頃，新大陸を中心に大型爬虫類の新しい化石が次々と発見された。これに伴い人々の関心はすっかりティラノサウルスなどの大型恐竜に移ってしまった。それは同時に，ライム・リージスの黄昏でもあった。

メアリーが体の不調を自覚し始めたのは，40歳半ばをすぎた頃だった。胸のしこりが大きくなり，痛みが激しくなった。乳がんだった。苦痛を和らげるためメアリーは強い酒とアヘンに頼った。昼間からまるで酔っ払いのようにふらふら歩く彼女を見て，近所の住民たちは眉を潜め陰口を叩いた。彼女のおかげでライム・リージスは有名になったのに，あまりに心ない仕打ちだった。

1847年3月9日，何か月も続いた幻覚と痛みとの戦いに疲れ切り，メアリーは小さな店の一室で息を引き取った。最期を看取ったのは，兄とその家族だった。メアリー・アニング47歳，若すぎる死だった。

ただ1度ロンドンに短期間出かけた以外，メアリーはライム・リージスを出たことがありませんでした。豪華な食事やにぎやかなパーティーとも無縁の生涯だったのです。
そんな彼女にとって化石の採掘は，単に生活の手段というだけではなく，心の救いでもあったのでしょう。肉体労働だけでは終わらない，何か別の自分になれるかもしれないという，かすかな希望だったのかもしれません。メアリー・アニングは，こんな言葉を残しています。

「私が生まれ育ったライム・リージスには，たくさんの化石とそして小さな夢が埋まっていました」

国立科学博物館 名誉研究員

冨田 幸光

　化石は，自然科学において生物の進化を解き明かす重要な証拠となっています。化石を通してアマミノクロウサギの進化の過程を探っている研究を紹介します。

（冨田先生）「哺乳類の化石は，骨格全体が残っている例はほとんどありませんので，どうしても特徴がよく出ている歯を中心に研究をします。研究するときは，顕微鏡を使いながら，実際には図3.10に示したようなスケッチを描いて調べます。図のスケッチは，ウサギの下あごの歯の噛み合わせの面を見たところですが，それぞれ左側が一番前の歯（p3といいます），右側がその後ろの歯（p4）です。そのうち一番前の歯（p3）が非常に重要な歯で，いろいろな特徴が見られます。

　図3.10 Aのうちp3の図の中で，右下の曲がりくねってはいますがリング状になっている部分，これが一番古いものでは100％リングですが，時代が下がってくるとCやDのp3のように右側が開いたものが出てきます。

　現在のアマミノクロウサギの下あごと300万年前の祖先形のプリオペンタラグスという化石の下あごを比べてみると，色が少し違います。化石は実は元々は白かったはずなのですが，地層の中に埋まっている間に化石の周りにある土，正確にいうと地層なのですが，その中に含まれているいろいろな成分がだんだん骨の中に染み込んでしまうのです。それで茶色やちょっと黒っぽい色になっています。もう少し別の化石を見るとまた違う色をしていますが，これは本当に周りの地層の影響なんですね」

　化石の標本を観察するときには，双眼実体顕微鏡が用いられています。

（冨田先生）「普通の双眼顕微鏡と同じで覗くところが2つあるので，これは要するに立体的に見られるということですね。図3.10に示した歯の線画を，どうやっ

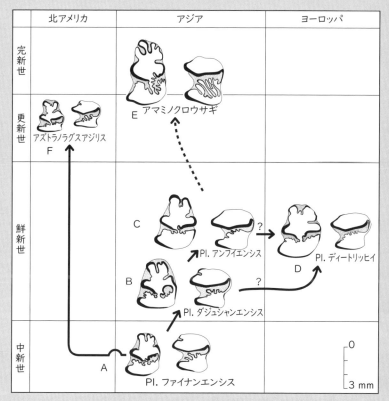

図3.10　アマミノクロウサギのなかまの進化系統
それぞれの種類で，左は下あごの第3小臼歯(p3)，右は第4小臼歯(p4)の噛み合わせ
面の模様。Pl.はプリオペンタラグスの省略。右下のスケールは3ミリ。

て描くかというと，2本ある鏡筒の右の1本を直角に水平に曲げて（図3.11 B），
その先に鏡を置いて（図3.11 C）光が垂直に走るようにします。そしてこの鏡
の下にノートを置きます（図3.11 D）。左目で見えている歯の模様のところを，
右目で見えるノートの上に鉛筆でなぞっていくと，図に示したような絵ができ
るという装置なんですね。

　ウサギの歯というのは，エナメル質でできた模様が非常にわかりにくいのです。
だから写真を撮ってもこの模様がちゃんと見えないことが多いので，写真では
なくどうしても線画で，イラストで描くということが昔から行われています」

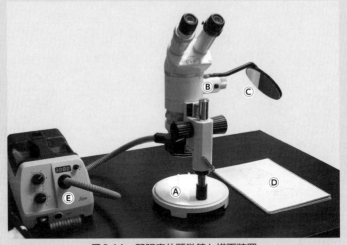

図3.11　双眼実体顕微鏡と描画装置
A 観察する標本，B 右の鏡筒の光軸を水平に曲げる装置，C 鏡（45度斜めに設置），
D ノート，E 電源（光の量を調節）

　　こうした根気のいる作業によって，アマミノクロウサギに関するさまざ
　　まなことが明らかとなってきました。

（冨田先生）「図3.10のAがアジアの一番古い種類ですね。だんだん新しくなって，
　　BやCの段階を経て，それがアマミノクロウサギに至る。おそらく500万，
　　600万年ぐらい前に北アメリカに何らかの方法で渡っていったグループがいて，
　　実際にはその古い化石が見つかっておらず，北アメリカで一番古いものは250
　　万年前から1万年前までなのですが，非常によく似た種類（図3.10 F）が生き残っ
　　ていたんですね。これをぜひ調べたいと思っています。

　　　僕は化石自身がまず好きなんです。なぜかわからないけれど，とにかく非常
　　に魅力を感じるのです。アマミノクロウサギと，その祖先にあたる種類がどの
　　ように進化してきたかということは，調べればきちんとわかるんですね。そう
　　いうことが非常に面白いですね」

「私の一生は苦難に満ちていたが，
自然科学の研究を心ゆくまで
やり遂げることができた。
そう長くはあるまい。
世界がこの研究成果を
認めてくれるのは」

遺伝の法則を発見した
グレゴール・ヨハン・メンデル
1822-1884
Gregor Johann Mendel

略歴

1822年　オーストリア帝国のハインツェンドルフ（現在のチェコ・ヒンチーツェ）に生まれる。

1843年　哲学学校を卒業。生活上の必要性から21歳でブルノ修道院の修道士となる。院長ジリル・ナップより植物の遺伝の研究を勧められ，開始。

1851年～1853年　ウィーン大学に留学，3年間勉学に励む。

1853年　修道院に戻り，エンドウ豆の交配実験を開始する。
8年間の実験結果から有名な「遺伝の法則」を導き出す。

1865年　「遺伝の法則」を発表するが理解されず，論文は闇に葬られてしまう。

1868年　ブルノ修道院長に就任。多忙のため植物実験から疎遠になっていく。

1884年　61歳で逝去。

1900年　3人の遺伝学者によってメンデルの研究が発見され，一躍「メンデルの法則」として有名に。

35年前の修道士の研究

1900年といえば20世紀の幕開け直前，日本では明治33年に当たります。この年，ヨーロッパの生物学史上，長く語り継がれる1つの劇的な事件が起こりました。

オランダのフーゴ・ド・フリース，ドイツのカール・コレンス，オーストリアのエーリッヒ・チェルマックという3人の遺伝学者が，まったく別々の場所で同じ時期に同じ研究をし，ほとんど同時にある結論に達した。勇んで研究成果を発表しようとした3人は思いがけない事実を知ってあぜんとした。長い間あまり知られることもなく埋もれていた論文があったのだ。なんとすでに35年も前に，チェコの1人の修道士が遺伝の研究をし，彼らと同じ結論を発表していたのである。3人はそれぞれ自分の研究発表の際，この事実を率直に世界に公表した。修道士の名は，グレゴール・ヨハン・メンデル。カール・コレンスは，その偉業に尊敬を覚えて修道士の研究に名前をつけた。「メンデルの法則」と。

今では知らない人はまずいない，有名な「メンデルの法則」。この研究が長い間ほとんど世に知られていなかったなんて驚きですよね。いったいそれはどうしてだったのでしょう。メンデルの肖像を見ますと，修道士の服がとても似合っています。しかし，修道士と遺伝の研究，すぐには結びつきにくいですね。どうしてメンデルは遺伝の研究を始めたのでしょう。どんな苦労がそこに横たわっていたのでしょう。
さあ，メンデルの生きていた時代に行ってみましょう。

生活苦から逃れるために修道士になる

ヨハン・メンデルは1822年，現在のチェコ，当時はオーストリア帝国の一部だったモラヴィア地方の小さな村ヒンチーツェで生まれた。村は71戸の寒村だった。父親は農夫で生活は貧しかった。

メンデルは，小さい頃から頭がいい子でした。「小学校だけで終わらせてはかわいそうだ」と先生も勧めるし，親としても上の学校へ進ませたい。しかし，貧乏でお金がない。やっと高校まで進んだメンデルは一番安い下宿を借り，空腹と戦いながら勉強します。父親はお金を送れない代わりに農作物を荷馬車に積んで息子に届けます。妹も結婚資金の半分をメンデルのために差し出してくれました。

　やがて父親は病気で倒れてしまう。家からの仕送りは一切なくなり，メンデルは家庭教師で食いつなぎながら大学受験を目指して哲学学校へ入った。しかし，ろくな食事も取れなかったメンデルは，栄養失調で倒れてしまった。もはや苦学も限界だった。

そんなときです。彼はプラハに次ぐ第2の都市ブルノの修道院が修道士を募集しているという話を耳にしました。メンデルはついに決心します。
「修道士になろう。僧職に着くことは父親も前から望んでいたし」

　「非常に努力をして2年間の哲学課程は終えることができたが，もうこれ以上，生活上の辛苦に耐えることはできなかった。それで辛苦から免れるような身分に就くしかないと感じた。環境が私の職業を決定した」

修道院長より品種改良を命じられる

　1843年10月，21歳のときメンデルは正式にブルノ修道院の修道士になった。ブルノ修道院は，その規模においても格式においても国内有数の大修道院だった。

図4.1　ブルノ修道院[1]

修道院があるモラヴィア地方は，農業と牧畜が盛んでした。ですから人々の関心はどうしたらもっと優れた農産物に品種改良ができるか，羊や牛の改良はどうしたらよいのかということにありました。雑種を作って研究はされていたのですが，どうもはかばかしい成果が上がりません。

　修道院長ジリル・ナップは，メンデルに大きな影響を与えた1人である。足が悪く，風采は上がらなかったが，強い信念を持った人物であった。ナップは農産物や家畜の改良についてこう確信していた。

「雑種を作って品種を改良する方法は，非常に長い年月を要する。それは生物の遺伝の法則が未知だからである。したがって，私たちはどうしてもその法則を発見する必要がある」

院長はこの信念で植物を使っての遺伝の研究をメンデルに命じたのです。しかし，いきなり研究が始まったわけではありません。第一，若いメンデルは，植物の知識などほとんどありませんでした。手を取って教えてくれたのは，魔闘士という修道士の名前を持つ，14歳年上の先輩クラーツェルでした。

　メンデルにとってクラーツェルは，植物研究のイロハを教えてくれた恩人だった。だが彼は時の権力者，オーストリア帝国に抵抗する思想を持っていたため，

修道院を追われてしまう。その後，アメリカに移住し，新聞発行などに携わったがうまくいかず，異国の地で寂しい一生を終えた。

ウィーン大学を経て，エンドウ豆の研究へ

さて，先輩がいなくなっては未熟なメンデルでは何もできません。院長ナップはひとまずメンデルに学校で理科を教える仕事をさせようと教員試験を受けさせるのですが，不合格。頭は良いのだから大学で勉強をさせようと考えた院長は，メンデルをウィーン大学へ留学させてくれました。試験に落ちたためにかえって思わぬ幸運にありついたわけです。メンデル，このとき28歳でした。

ウィーン大学でメンデルは乾いた砂が水を吸い込むように貪欲に学んだ。植物学はもちろん，動物学，物理学，数学，化学と取り組んだ。このときの猛烈な勉強が後年の研究に大いに役立つことになる。1853年，31歳になったメンデルは，3年間の大学生活に別れを告げ，修道院に戻った。荷物の中に実験に使うためにウィーンで買い求めたエンドウの種がしっかり収まっていた。

いよいよメンデルの名を不朽のものにした研究が始まります。背が低く，金縁のメガネをかけ，少し小太りのメンデルが，修道院の裏庭にある長さ35メートル，幅7メートルの小さな畑にエンドウの種を撒き始めました。

メンデルは2年間を予備実験に費やした。そこでエンドウの育て方，交配のさせ方，種子の実り具合などを周到に観察。特徴の判別しやすい株を選んだ。この作業が後々のデータを確実なものにし，実験を成功に導いた。メンデルは1856年，34歳から本実験を開始した。この年から黙々と8年間，研究が続くのである。

さあ，この研究の模様をじっくり見てみましょう。みなさんが学校で習ったことも多いでしょうから，そこは復習のつもりで。

　メンデルは，エンドウについて，まず7つの互いに対立する形質を持った親同士を交配させて雑種を作った。種子が球状のものとシワのあるもの，胚乳が黄色のものと緑色のもの，種皮が白いものと色のあるもの，さやが膨らんだものとそうでないもの，熟していないさやが緑色のものと黄色のもの，花が茎の頂点につくものと脇につくもの，茎の高さが2メートルのものと30センチのものの7つである。

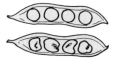

種子が球状のものとシワのあるもの

胚乳が黄色のものと緑色のもの

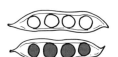

種皮が白いのものと色のあるもの

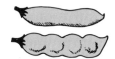

さやが膨らんだものとそうでないもの

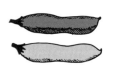

熟していないさやが緑色ものと黄色のもの

花が茎の頂点につくものと脇につくもの

茎の高さが2メートルのものと30センチのもの

図4.2　7つの形質を持つエンドウを交配させ雑種を作る実験

しかし，種子が実り，さやを開けてみると，驚いたことに，さやの中には球状の種子ばかりで，シワのあるものは1つもなかった。ほかの6つの形質についても同様に，片方の親の持つ形質だけが現れていた。

　次にメンデルは，雑種第1世代を自家受粉，つまり，同じ花同士で受粉させて第2世代を作った。すると，さやの中には球状の種子としわのある種子の両方が並んでいた。一度消えたはずの形質が再び現れたのだ。メンデルは，この第1世代にしか現れない形質を「優性」(顕性)，第2世代から現れる形質を「劣性」(潜性)と呼んだ。そして，この比率に「優性3に対して劣性1」という決まった比率が存在することを発見した。

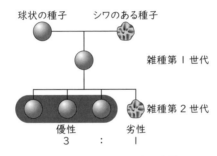

図4.3　エンドウの交配実験

　こうして次から次へと代を重ね，雑種第6世代までメンデルは調べていった。その結果，子孫に形質が伝わる方法に法則性があるのがわかった。まとめると次のようだった。

　「支配の法則」：雑種第1世代では一方の親の形質だけが現れる。この形質を「優　　　　　　　　　性」といい，現れない形質を「劣性」という。

　「分離の法則」：雑種第1世代を自家受粉させてできる第2世代の雑種は，優性3，　　　　　　　　　劣性1の比率で形質が現れる。

　「独立の法則」：2つ以上の対立する形質を持った両親から雑種を作ると，その　　　　　　　　　形質は互いに独立して組み合わせを作る。

　「純粋の法則」：雑種を作っても，遺伝子は互いに影響し合うことなく，純粋に　　　　　　　　　保存されている。

この４つの法則が「メンデルの法則」といわれるものですね。ここではひとつひとつについての解説は省略しましょう。理科の時間に習ったことを思い出してください。さあ，いよいよ研究結果の公表です。迎えるのは大きな称賛の拍手でしょうか？

　1865年２月８日，メンデルは実験の結果をブルノ自然研究会の講演で発表した。しかし，人々の反応はまるで良くなかった。メンデルの話は数字の羅列が多く，植物の何について話しているのかよく理解できなかったのである。講演後の質疑応答もなく，人々はただ黙って家路についてしまった。続きが1か月後に行われたが，結果はまた同じだった。

メンデルは翌年，論文『植物雑種の研究』を書いて，当時ヨーロッパーの植物学者だったミュンヘン大学のカール・ネーゲリに送りました。待ちに待った２か月後，返事が来ましたが，肝心の実験の内容については黙殺されていました。こうしてメンデルの研究は，長い間忘却の闇に埋もれることになるのです。早すぎたがゆえに一度は埋もれたメンデルの研究。しかし，現代では，メンデルの時代には想像もできなかったような広がりを見せて，遺伝学は進歩しています。染色体の研究も進み，例えば，みなさんが食べている稲の品種改良についても，遺伝子組換えのものが研究されています。

ブルノ修道院の院長になる

　1867年，院長ナップが亡くなり，翌年メンデルが院長に選ばれた。45歳のときである。メンデルの日常は一変する。なにしろ国内有数の規模と格式のあるブルノ修道院の院長である。さまざまな団体や組織の役員に名を連ね，多くの会合に出席し，銀行の頭取まで兼任した。メンデルはこう書いた。
「私は修道院長に当選してしまいました。これからは別世界に身を投げ込まれたようなものです。今まで心にかけていた植物の実験をこの忙しさのために不可能

にしたくないのですが」

この不安は，不幸にも的中してしまいました。しかし，時間こそ少なくなりましたが，多忙の合間を縫って引き続き植物やミツバチの研究，気象観測など，コツコツとやっていきました。院長になってから数年後，なぜか異常に太ってきました。笑い事ではありません。

「私は，もう植物採集にも行けません。なぜなら万有引力に敏感すぎるほど体重が重くなりすぎてしまったからです」

　太って苦しいうえに，さらに，メンデルを悩ませる事態が持ち上がった。オーストリア政府との税金闘争である。修道院に新たな税金を課そうとした帝国政府に対し，これを不当としたメンデルは頑固に反対。抵抗は10年に及んだ。

周りからは，「メンデルは発狂したんじゃないか」と陰口まで叩かれながら，頑固に戦いました。もしかしたら帝国政府に反抗して追われた恩人，クラーツェル修道士のことが脳裏をかすめたのかもしれませんね。

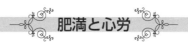

肥満と心労

　異常な肥満と慢性の腎臓炎，それに心労がメンデルを倒した。メンデルは病床に臥し，厳粛にその日を待った。「今日は幾分いいようだね」と看護婦に言ったのを最後に息を引き取った。1884年，メンデル62歳だった。

メンデルの死後，修道院では研究関係の資料をほとんど処分してしまいました。まさか歴史に残るようなものとは思いもしなかったからです。しかし，奇跡は起こりました。

遅れてやってきた栄光

1900年，オランダのフーゴ・ド・フリース，ドイツのカール・コレンス，オーストリアのエーリッヒ・チェルマックという3人の遺伝学者がまったく別々の場所で，同じ時期に同じ研究をし，ほとんど同時にある結論に達した。勇んで研究成果を発表しようとした3人は，35年もの長い間あまり知られることもなく埋もれていたメンデルの論文の存在を知り，あぜんとした。こうしてメンデルの功績が世に出たのだった。

1911年，一躍有名になったメンデルの伝記を書くためにブルノ修道院を訪ねたイギリスの作家が，処分されようとしていた紙くず箱の中に一束の原稿を見つけた。なんとそれは，メンデル本人の手による植物雑種の研究，その直筆原稿だったのである。この世にも貴重な原稿は，ブルノ銀行の金庫の奥深く，厳重に保管された。

しかし，第二次世界大戦が終わり，金庫を開けたとき，原稿は姿を消していた。誰がいつどうやって持ち出したのか，その謎はいまだに不明である。幻の原稿は今どこにあるのか，書いた本人同様，その原稿もまた，数奇な運命をたどったのである。

いつも世界を見つめるような目つきをしていたといわれるメンデル。メンデルは8年間，黙々と実験を続けながら何を思っていたのでしょう。もちろん誰も見つけていなかった遺伝の秘密に迫っているという興奮はあったでしょう。しかし，それだけでなく，法則が見つかることで農産物や家畜の改良が飛躍的に進歩し，メンデル一家のように貧しい人々も，きっと今より幸せになるという強い思いがあったような気がしてなりません。研究室にいる学者によってではなく，常に貧しい人々と接していた修道士がした研究だからこそ，その価値は一層大きいと思われます。メンデルは派手なことは苦手でした。しかし，信念の強さは並外れていました。メンデルはこう語っています。

「私の一生は苦難に満ちていたが，自然科学の研究を心ゆくまでやり遂げることができた。そう長くはあるまい。世界がこの研究成果を認めてくれるのは」

東北大学 名誉教授
宮尾 光恵

　遺伝子を細胞に組み入れる遺伝子組換え技術は，細菌や酵母などの微生物のみでなく，動物や植物を含む多様な生物に使われています。遺伝子組換えと聞くと組換え作物（GM作物）を連想する方が多いと思いますが，この技術は，生物の人為的な改変以外にも，遺伝子の機能解明，遺伝子がコードするタンパク質の解析など，基礎的な生物学の研究になくてはならない手法となっています。実際，組換え技術の活用により生物学の教科書が大きく書き換えられたといっても過言ではありません。

　遺伝子導入には，導入した遺伝子を細胞内で一時的に機能させる方法と，遺伝子を染色体（ゲノム）に組み入れて子孫に受け継がせる方法があります。基礎的な研究では目的によって2つの方法を使い分けます。遺伝子組換えで生物を改変する場合は，目的の性質が子孫に受け継がれるよう染色体に遺伝子を組み込みます。遺伝子組換えと古典的な品種改良の違いは，外から遺伝子を導入したかどうかという点だけで，染色体に組み込まれた外来遺伝子もメンデルの法則に従って働きます。メンデルの法則を使って，遺伝子を導入した生物から目的にかなった個体を選抜します。

　遺伝子組換え技術とともに生物学と品種改良とを大きく進展させたのは，全ゲノム情報の解読です。全ゲノム情報が解読されれば，どの染色体のどこにどんな遺伝子があるのか，データベースを使って誰でも簡単に調べることができます。20年前には全ゲノム情報の解読は巨額の研究費を投じる大規模プロジェクトでしたが，遺伝情報解析法の進歩により，安価かつ短時間でゲノム情報が得られるようになりました。今では，さまざまな生物種のみではなく，生物種内の系統・品種のゲノム解読が進められています。脊椎動物や植物は2〜3万個の遺伝子をもつことがわかっています。まだまだ一部ですが，遺伝子組換え技術を使って遺

伝子の機能解析も進んでいます。また，同じ種の生物のゲノムを比較することにより（系統間，品種間で比較），どの遺伝子を変えれば，あるいはどの遺伝子のどこを変えれば生物の性質がどう変わるか予測できるようになってきました。このような情報を利用し，改変する遺伝子に的を絞ることによって，系統間・品種間の交配で生物を短時間で改良できるようになっています。植物の場合，古典的な方法では10年以上かかっていた品種改良が数年程度に短縮されました。さらに，遺伝子の一部のみを改変するゲノム編集技術を利用すれば，品種改良に要する時間をさらに短縮させることが可能です。一方で，遺伝子組換え技術は，ほかの生物の遺伝子を導入することによって，本来その生物がもたない性質を付与することができます。ゲノム情報の活用と遺伝子組換え技術とにより，さまざまな生命現象のメカニズムの解明が飛躍的に進むとともに，品種改良を含むゲノム改変の道も大きく拓かれています。

ひらく，ひらく「バイオの世界」 14歳からの生物工学入門

日本生物工学会 編，化学同人（2012）

『ひらく，ひらく「バイオの世界」 14歳からの生物工学入門』
は，組換え作物を含むバイオテクノロジー技術がわかり
やすく解説されています。身近なところにさまざまなバ
イオテクノロジー技術が使われていることを知ることが
できる良書です。

誤解だらけの遺伝子組み換え作物

小島正美 編，エネルギーフォーラム（2015）

『誤解だらけの遺伝子組み換え作物』は，内外の専門家や
ジャーナリスト，組換え作物を実際に栽培している農業
生産者の意見や考えを取りまとめたものです。日本では
組換え作物は危険だという報道が多いのですが，組換え
作物に関する認識を再検討するための絶好の資料となっ
ており，おすすめです。

「さあ，がんばろう。

力を尽くして，

なんとか食べる道を考えよう」

昆虫の詩人
ジャン＝アンリ・ファーブル
1823-1915

Jean-Henri Fabre

♔ 略 歴 ♔

1823 年	南フランスのサン・レオンに生まれる。
1842 年	カルパントラの小学校教師となる。
1844 年	マリー・ヴィラールと結婚。
1849 年	コルシカ島に物理教師として赴任。
1855 年	コブフシダカバチの研究論文を発表，注目を浴びる。
1868 年	ナポレオン 3 世よりレジオン・ドヌール勲章を授与される。
1879 年	セリニャンへ移住。『昆虫記』第 1 巻刊行。
1907 年	『昆虫記』第 10 巻刊行。
1915 年	91 歳で逝去。

人間は太古の昔から昆虫とともに生きてきた。昆虫の種類は数百万種といわれ，地球上の生き物の4分の3を占めている。ヒトを含む哺乳類は，生命の種類からいえば，ほんの一握りにも満たない存在なのである。しかし，近代になるまで昆虫は，自然科学の対象ではなかった。19世紀の昆虫の研究は死んだ虫で標本を作り，それを細かく分類することが主流だった。しかし，この主流に背を向け，生きて活動している昆虫の行動そのものに注目し，その生き生きとした姿に迫ったフランスの貧しい学校教師がいた。彼は約30年の歳月をかけて『昆虫記』全10巻を書いた。ここに昆虫学はまったく新しい世界に分け入ったのである。その学校教師の名はジャン＝アンリ・ファーブル，その人である。

私たちのようにコンクリートの建物，アスファルトなどで固められた道路に囲まれて生活していると，昆虫と接する機会も本当に少なくなってしまいました。お店でカブトムシが売られていると聞いたらファーブルは何というでしょう。こうした状況が人間にとって幸せなのか不幸なのか，答えはひとりひとりの胸に聞いてみるとして，詩人の魂を持って昆虫を研究したといわれるファーブルの歩んだ道をたどってみましょう。

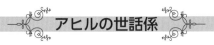

アヒルの世話係

1823年12月21日，ジャン＝アンリ・ファーブルは南フランスのルエルグ地方，サン・レオンという小さな村で生まれた。サン・レオンは石の多いやせ細った土地の山間の村。父親は農民で貧しく，弟が生まれるとファーブルは食いぶちを減らすため一時里子に出されたほどだった。

後にファーブルは，自分の生まれた家を「あのあばら家」と呼んでいるほどですから，どんなに貧しい生活だったか想像できますね。小さいときから植物や昆虫に興味を持ったのは，あまりに貧しい生活のため，野山を走り回るしか楽しみがなかったからかもしれません。

10歳のとき，父親は金稼ぎのためにアヒルを飼育することにした。その世話係はファーブルが命じられた。ある日ファーブルは，24羽のアヒルの子を連れて山の沼に出かけた。

　　　このエピソードは心に残るものです。沼で澄んだ水と戯れ，藻や貝殻，不思議な色や形をした石，オタマジャクシやいろいろな虫を見つけ夢中になります。彼の心は喜びでいっぱいになります。

「私の勝利感は，誰かと分かち合えたら完璧だったろう。でもほかに誰もいないのでアヒルの子たちを誘って分かち合った」

　　　自然の持つ豊かさへの率直な賛美と，アヒルとしか喜びを分かち合えない貧しさと孤独。この後，ファーブルの生涯を貫く要素が，くっきりと刻み込まれている気がします。

貧しさの中でも勉強し，教師の道へ

　生活に行き詰まった父親は，家族を連れて村を出た。ロデーズ，トゥールーズ，モンペリエとさすらい，カフェなどを開いたがいずれも失敗。生活はいつもどん底だった。

　　　ファーブルもレモン売りや鉄道工夫などを経て，アビニヨンの師範学校に学費なしの給費生として入学し勉強します。そして18歳のとき，カルパントラで小学校の教員になり，生活に希望が見えます。

　しかし，教員の地位は低いうえに給料は安く，生活は一向に楽にならなかった。21歳になる1844年，同じ教員仲間のマリー・ヴィラールと結婚。2人の子ども

をもうけたが，病気が子どもたちを相次いで奪うという悲劇が襲った。

2人目の男の子が息を引き取る姿をファーブルは弟への手紙でこう書きました。詩人の心を持った父親の悲痛な嘆きが胸を打ちます。

「ひどい熱が出て，3日であの子をさらっていってしまった。私はお前のためだけに働いていたのに。勉強中もお前のことしか考えなかった。そしてお前にこういっていたのだ。『大きくなっておくれ。そしたら少しずつ蓄積している私にとって実に大事な知識をお前の魂に注ぎ込んであげよう』と。

　私のかわいそうな子よ。お前は父親のように貧困や不幸と戦う必要はないのだよ。お前は人生の辛酸を知らずに済むだろうし，不幸への道がこれほどたくさんあるこの時代に苦杯をなめて地位などを築かなくていいのだ。

　そう，お前は幸福なんだ。これは苦痛に打ちひしがれた父親の大それた期待なんかではないよ。絶対に。お前の最後のまなざしが，あまりにも勇敢にそういってくれたから疑うことなどできないのだ。いまわのときの蒼白な姿のなんと美しかったことか。最後の吐息を唇に漏らし，目は天に向け，魂は神の懐へと飛び立たんばかりだった。

　お前の最期の日は，お前の人生で一番美しい日だったのだ」

　悲しみを振り払うようにファーブルは勉強に打ち込み，モンペリエ大学で中学の数学・物理の教師になる試験を受け合格。ナポレオンの出身で知られるコルシカ島の中学に物理の教師として赴任した。

昆虫学者への道の始まり

コルシカ島の豊かな自然はファーブルをすっかり虜にし，昆虫や植物の採集に熱中します。しかし，マラリアにかかったためフランス本土に戻り，かつて師範学校時代に過ごしたアビニヨンの中学教師になります。いよいよ昆虫学者への道の始まりです。ファーブル，このとき29歳でした。

　赴任して間もないある冬の日，ファーブルは一生を決めた研究論文と出会った。それはレオン・デュフールという医師が『自然科学年報 第5巻』に発表したタマムシツチスガリの研究だった。デュフールはそこでこのハチの活動を詳細に観察し，その行動の意味を探っていた。ファーブルの心は電流に触れたように震えた。「そうだ！　これこそ私の求めていたものだ。標本作りや分類作業ではない本当の昆虫の研究。観察し，意味を探り，生命の源に迫る。これこそ私の生涯を費やすのに値するものだ」

　ファーブルは早速，デュフールの観察を自分でも調べ始めた。だがアビニヨン地方にはタマムシツチスガリは生息していなかったので，近縁のコブフシダカバチを観察した。これなら，家のすぐ近くの土手に巣を作っていたからである。

「観察」と簡単に言いますが，実際には大変な作業です。座り込んで，何時間も土手の巣を覗き込む。ハチが飛べば後を追いかける。餌にするゾウムシを何日もかけて捕まえる。ハチがゾウムシに針を刺す瞬間を見るために何時間も目を凝らす。虫眼鏡でゾウムシの体の隅から隅までを調べる。
ファーブルはこの観察で，自分よりコブフシダカバチの方がゾウムシを捕まえたり針を刺したりするのがうまいことに感嘆します。しかし，炎天下で何時間も地べたにはいつくばっているファーブルは，どう見ても正常な人には見えなかったのではないでしょうか。

図5.1　コブフシダカバチ

図5.2　ハスジゾウムシ

ゾウムシは餌を生きたまままひさせる！

　こうしてファーブルは，コブフシダカバチはゾウムシを殺すのではなく，神経が集まっているところをピンポイントで攻撃してまひさせ，生きたまま幼虫の餌にする習性を発見。これを1855年『自然科学年報』に発表した。名もない中学教師の生態観察は一躍脚光を浴びたのである。

　特にうれしかったのは，デュフールが「とても素晴らしい」と手紙で褒めてくれたことでした。どんなに自信があっても初めて発表した研究論文です。それが彼に目を開かせてくれた当人から褒められる。こんなうれしいことはなかったに違いありません。

　ファーブルの研究が脚光を浴びてから数年後の1859年は，生物学にとって歴史的な年である。イギリスのチャールズ・ダーウィンが『種の起源』を刊行したのである。その中でダーウィンは，ファーブルのことを「比類なき観察者」と称えている。

ファーブルは進化論には反対だったのですが，2人の手紙による交流は誠実なものでした。20年後『昆虫記』を読んだダーウィンは，「昆虫の驚異的な習性がこんなに生き生きと記述されたのはこれまで試しのないことで，読むだけでもそれを目の当たりに見るようです」と，ファーブルに手紙を書いています。優れた学者は，たとえ自説の反対者の仕事であっても，良い仕事にはきちんと敬意を払うものですね。

レジオン・ドヌール勲章を与えられる

　子どもができ，5人に増えた貧乏教師一家の生活は相変わらず苦しかったが，少しの運も巡ってきた。45歳になる1868年，それは時の文部大臣ヴィクトール・デュリュイの訪問で幕を開けた。

この人は，学校視察の折に1度だけファーブルに会い，その人柄と仕事に高い評価を与えてくれたのです。彼は，あの有名なナポレオンの甥にあたる皇帝ナポレオン3世に進言して，フランス人の最高の栄誉である「レジオン・ドヌール勲章」をもらえるよう取り計らってくれました。

　皇帝との謁見会場であるチュイルリー宮殿は，ファーブルには別世界だった。ほかの受章者も多数参列していたが，まるで昆虫を観察するようにファーブルは人々を観察した。眠たそうな目をした皇帝とは5分ほど話をした。晴れやかなことが苦手なファーブルは，謁見が済んだ翌日には早々にアビニヨンに戻ってしまった。宮殿は居心地が悪かったが，デュリュイの好意には深く感謝した。
「金ピカの勲章や飾りのリボンなどのむなしさは，私も十分承知している。しかし，私のようにしてもらったなら，このリボンの切れ端も貴重なものだ。私はタンスの引き出しの奥にこれをうやうやしくしまってある」

しかし，運が向いてきたと思われたのも一瞬のことでした。また
また悲劇の訪れです。かなり前からアビニオン市の委託を受けて
植物から染料を採る研究をしていたのですが，コールタールを元
にした人工染料がドイツで完成し，先を越されて失敗。「無駄金
を使った」と責められます。加えて，若い娘さんたちを相手に開
いた講座で，「おしべとめしべの合体の話をしたのは不謹慎」と
非難され，学校を追われる羽目になってしまいます。

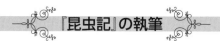

『昆虫記』の執筆

　18年間教鞭をとったアビニオンを追われたファーブル一家は，文字どおり路
頭に放り出された。時あたかも1870年，フランスはプロシアとの戦争で混乱状
態にあった。ファーブル一家は，アビニオンよりもっと田舎のオランジュへ移住
した。ファーブルはそこで教科書の執筆に励み，懸命に生活費を稼いだ。確かに
アビニオンを追われたのは悲劇だったが，ファーブルが昆虫観察の原点に戻るに
はかえって好都合だった。ファーブルはここオランジュで9年間にわたって昆虫
の観察に精力を傾けたのである。

わずかとはいえ生活も安定し，ファーブルは念願の我が家を持ち
ます。1879年，55歳のとき，オランジュの北，セリニャンに土
地と家を購入。ここがファーブルの終の住まいとなります。ここ
で『昆虫記』が書き始められ，28年後完成するのです。

　『昆虫記』は，ファーブルが観察した膨大な数の昆虫の生態記録であった。だが
同時にそれは哲学の書でもあり，ファーブルの自伝でもあり，自然の美しさを歌っ
た詩集でもあった。

そして『昆虫記』は各国語に訳され，多くの読者を獲得したのです。『昆虫記』が後世に与えた影響はとても大きいのです。

　55歳から40年近く住むことになるセリニャンの家は，ファーブルにとって理想的な環境だった。庭に花園，菜園，果樹園，池を作った。たくさんの虫や花が集まった。主は小さな机に向かって仕事をした。詩人の主はこの小さな机にも優しく語りかけた。

「主人の私がいなくなったらお前はどうなることだろう。家族が私のささやかな財産を争うことになり，お前は競売にかけられて売られるのだろうか。ああ，長年の腹心の友よ。お前はお前の過去など気にも留めない見知らぬ人の手をいくつも渡っていくのだろう。それからやがて老いぼれて，じゃがいもの鍋の下でしばし火種となるだろう。お前は煙となって消えてゆき，我々のむなしいあがきの最後の休息たる忘却というもう1つの煙の中で，私の労苦とまた結びつくことになるだろう」

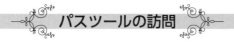
パスツールの訪問

ファーブルはどこまでいっても素朴な農村の学者でした。その素朴さを伝えるのに，あのパスツールがファーブルを訪ねたときの情景以上のものはないでしょう。1865年，都会のバリバリの学者であるパスツールが，蚕の病気の調査のため南フランスのファーブルを訪問しました。

　パスツールは「蚕を調べたい」という。繭を手渡すと珍しそうに耳元で振りそれから言った。
「音がしますな。中に何か入ってるんですか？」
「もちろんですとも」

「いったい何が入ってるんですか？」

「サナギです」

「なんですって！　サナギですって！」

　ファーブルは驚いてしまった。パスツールは災禍から救おうという昆虫について，最も単純な初歩的な知識さえも持たずにやってきたのだ。彼はあぜんとした。それどころか，感嘆したといった方が良いかもしれない。

ワインの発酵研究で名を挙げていたパスツールが「あなたの酒蔵を見せてくれ」と言ったときには，もっとこっけいでした。

「彼に私の酒蔵を見せるんだって？　教師のささやかな給料ではわずかなブドウ酒も買えなかったので，瓶に一握りの粗糖とりんごのすりおろしを入れて発酵させ，自分で作っていた貧しいこの私の酒蔵を？」

　ファーブルは台所の隅を指した。

「私の酒蔵はあれですよ」

「あなたの酒蔵？　あれが？　あれだけですか？」

「残念ながらそうですとも。あれだけです」

「はあ……」

「それ以上言葉はなかった。この学者の口からはほかには一言もなかった」

この2人が出会ったのは，後にも先にもこの1回だけだったのですが，2人の対照的な性格や境遇が浮き彫りにされて，とても愉快ですね。パスツールから見ればファーブルはなんとも変わった人物に見えたに違いありません。

『昆虫記』全10巻刊行

　1885年，長年連れ添った妻のマリーが病気で亡くなった。貧乏に耐え，変人扱いされる夫を支え続けた生涯だった。『昆虫記』は，2～3年ごとに1冊ずつ刊行され，1907年，最後の第10巻が出版された。しかし，生活は依然楽ではなかった。

　　よくよくこの人は，貧乏と縁が深かったのでしょう。84歳になっても新聞が「天才，餓死せんとす」というキャンペーン記事を載せ，全国から義援金が送られてきたほどでした。

　90歳になる年，大統領ポアンカレーがファーブルを表敬訪問した。しかし，『昆虫記』を書き終えたこの昆虫学者にとっては，それはもうどうでもいいことだったのかもしれない。第一次世界大戦が始まり，世界を暗い影が覆った1915年10月11日，ファーブルは子どもや孫，友人たち，それに花や虫に看取られながら息を引き取った。91歳の大往生だった。

　　トレードマークの黒いフェルト帽と長い髪。刻まれた深いシワの真ん中でキラキラと光っている知性的な黒い目。ファーブルの風貌は，私たちに忘れられない印象を残します。しかし，風貌以上に私たちの心に残るのは，虫たちに注いだ限りないまでの彼の愛情の深さです。どの虫を語るときでも，いつもその物語は一編の詩になっていました。
　　思えば，ファーブルの生涯そのものが地面をはう昆虫のような生涯でした。小さく，弱く，いつ踏み潰されるかわからない。それでも生きるために必死に戦う。その戦いから生まれた深い愛情と詩が『昆虫記』だったからこそ，この書物は人々の心を打ったのではないでしょうか。
　　それにしてもこの人は貧乏と縁の切れない人でした。学校で教えていた頃，生徒たちによくこう呼びかけていたそうです。

「さあ，がんばろう。力を尽くして，なんとか食べる道を考えよう」

数理設計研究所 研究員
片桐 千似

　ファーブルは50歳を前に教職を追われ，田舎に引っ越したおかげで昆虫の観察に熱中できました。ファーブルの家の周りには4種のコオロギがいましたが，その中で彼が興味を持ったのは，イナカコオロギ（イナカクロコオロギ）でした。ほかの3種と違って，オス，メスそれぞれが自分の巣穴を持っています。昆虫記には，オスが鳴くのは2枚の前翅をこすり合わせて出す音であること，同種のオスに遭うと激しいケンカ鳴きをし，メスに遭うと，やさしい求愛鳴きをすることも書かれています[1]。

　私たちは，オスコオロギが同種のオスとメスをどのように識別しているかに興味を持ちました。実験に使ったのは，ファーブルの家の周りにもいたフタホシコオロギ（クロコオロギ）です。現在，日本では爬虫類の餌としてペットショップで売られています。このフタホシコオロギは巣を持ちませんが，イナカコオロギと同様，ケンカ鳴きや求愛鳴きをします（図5.3）。

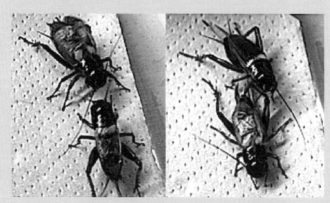

図5.3　フタホシコオロギのオスとメス
（左）下のオスにケンカ鳴きで威嚇する上のオス
（右）上のメスに求愛鳴きを始めた下のオス。このあと交尾する。

オスコオロギを観察していると、触覚を使って近づいてきたコオロギの体表に触れていました。昆虫の体表は厚さ0.1～1マイクロメートルの脂質で覆われています。メスの体表脂質をしみ込ませたろ紙をオスの触覚に触れると、求愛鳴きを始めました。一方、オスの体表脂質をしみ込ませたろ紙には興味を示しません。体表脂質を分析すると、オス・メスの炭化水素の組成が違っていました。一番簡単な炭化水素は炭素1個のメタンですが、コオロギの炭化水素は炭素数が20～30前後なので気体ではありません。メスの体表脂質は鎖状の飽和炭化水素（アルカン）でしたが、オスにはメスと同じアルカンのほかに、不飽和炭化水素（アルケンなど）が約15%含まれていました（図5.4）。そこで、オスの体表から飽和炭化水素だけを分離して、ろ紙にしみ込ませてみると、オスはろ紙をメスだと判断して求愛鳴きを始めました（図5.5）。不飽和炭化水素がないのでメスと認識していたのです。ケンカ鳴きを始めるには不飽和炭化水素のほかに、オスの体から発する微量成分Xが必要でした。化学の素養のあったファーブルが現代に生きていたら同じような結果を得ていたかもしれません。

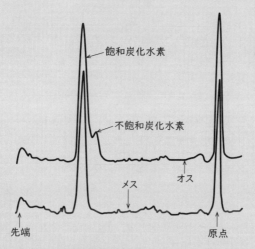

図5.4　オスの体表にだけ不飽和炭化水素が含まれていることを示す実験結果
薄層クロマトグラフィーの原理で物質を分離し、水素炎イオン化検出器によって定量するイアトロスキャンのチャート。上がオス、下がメス。ピークが大きいほど量が多い。原点は試料をスポットした点、先端は展開溶媒(n-ヘキサン)の位置。

オスの飽和炭化水素を
しみ込ませたろ紙

図 5.5　体表炭化水素をしみ込ませたろ紙をオスの触覚に触れさせる実験例

オスの体表脂質から分離した飽和炭化水素をろ紙にしみ込ませ，オスの触覚に触れるとメスだと思って，求愛鳴きを始めるオス。

現在，私たちは，飽和や不飽和の炭化水素が体表にどのように分布しているかなどを，つくば市にある高エネルギー加速器研究機構や兵庫県にある SPring-8 という放射光施設で調べています。放射光は強力で，ビームを細く絞ることができるので，体表上の微細な構造を明らかにするのに欠かせません。

読書案内

フィーニー先生南極へ行く　Professor on the Ice

R. フィーニー 著，片桐千仞・片桐洋子 訳，北海道大学出版会(1986)

フィーニー先生は，冷凍食品の品質維持に欠かせない不凍タンパクの発見者です。アメリカの大学で研究中に，ペンギンの卵白タンパクに興味を持ち，南極に出かけます。50歳代の半ばでした。そこで，零下でも凍らずに泳いでいる魚に驚き，不凍タンパクを血液中に見つけました。南極での体験をユーモアたっぷりに語っています。

「科学に身を捧げようという
　若い人たちに，私が望むことは
　何だろうか。
　それはまず第一に徹底ということ
　である。
　徹底，徹底，
　そして徹底である」

条件反射学の生みの親
イワン・ペトローヴィチ・パブロフ

1849-1936

Ivan Petrovich Pavlov

略歴

1849 年	ロシアのリャザンで生まれる。 村の教会学校卒業後，神学校に入学。その後サンクトペテルブルグ大学の医学部に進む。
1881 年	セラフィーマと結婚。その後 2 年間ドイツに留学する。
1890〜1891 年	軍医学校の教授および実験医学研究所の生理学部長に任命される。
1894〜1897 年	偽餌養法と小胃法などの研究をする。
1902 年	犬で唾液腺を研究中，飼育員の足音で唾液が分泌されることを発見し，条件反射の実験を行う。
1904 年	消化の生理に関する研究に対してノーベル賞を受賞 (55 歳)。
1912 年	サンクトペテルブルグ郊外に防音効果を備えた「沈黙の塔」を建設する。
1936 年	86 歳で逝去。

唾液を出す犬

　1902年のある朝，ロシアの生理学者イワン・パブロフは，自分の研究室でいつものように実験用の犬を観察していた。犬の頬の下には手術で穴が開けられており，口の中に唾液が出るとその唾液が穴を通って流れ出る仕組みになっていた。パブロフはこの手術を施した犬を唾液を出す犬，唾犬と呼んでいた。

　あるとき，足音がして1人の助手が廊下を通った。すると犬がだらだらと唾液を分泌し始めたのである。この現象はパブロフを驚かせた。

図6.1　パブロフの犬[1)]

「食べ物を口にすれば唾液が出るのは当たり前だが，今は何も与えていない。どうして唾液を出したのだ？」

　変化があったのは助手が通ったことだけだった。念のためもう一度その助手に近くを歩いてもらった。すると，犬は再び唾液を分泌したのである。今度は別の助手に歩いてもらった。すると犬はまったく唾液を出さない。パブロフは最初の助手に尋ねた。

「君はここで何の仕事をしているのかね？」

「ええ，犬に餌をやってる飼育係でした」

「そうか，わかったぞ。いつもこの助手の足音が聞こえると，その直後に食べ物が与えられるので，犬は反射的に唾液を分泌したに違いない」

　パブロフは，その犬を机の上にのせ，音楽で使うメトロノームの音を聴かせて

その後で餌を与えるという実験を12日間続けた。そして，12日目にメトロノームの音だけを聴かせたのである。すると，餌を与えもしないのに犬は唾液を流し始めた。別の犬にメトロノームを聴かせてみたが，もちろん唾液を出したりはしない。しかし，この犬も12日間同じ条件で実験を行うと，やはりメトロノームの音だけで唾液を分泌したのである。

「食べ物が口に入ると自然と唾液が出る。これは無条件反射だ。しかし，音や光，物理的刺激など，一定の条件を与えると起こるのは条件反射だ。いったいどんなメカニズムが条件反射を引き起こすのだろう？」

　足音を聞いただけで犬が唾液を出す。この単純な現象からパブロフは生理学の本質的な問題へと迫り，壮大な条件反射学という学説を打ち立てるのである。パブロフ53歳のときだった。

「パブロフの犬」といえば，ほとんどの人が学校で習いましたよね？　「条件反射」という言葉も聞いたことがあると思います。でも，パブロフという学者その人についてはあまり知られてはいないようです。条件反射学の生みの親，ロシアの生理学者であり，ノーベル生理学・医学賞受賞者でもあるイワン・パブロフに迫ります。

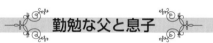

勤勉な父と息子

　イワン・ペトローヴィチ・パブロフは1849年9月26日，モスクワのはるか南の村リャザンで生まれた。父親はギリシャ正教会の牧師をしていた。

パブロフのおじいさんは，教会で雑用係のような仕事をしていましたから，父親が牧師になれたのは粘り強い頑張りがあったからでした。パブロフはこの父親から，目標を掲げたら断固にそれを追求する粘り強さを受け継いだといえます。

パブロフの少年時代は健康そのもの。いつもわんぱく小僧たちの先頭に立って遊んでいた。なかでも野球とクリケットを合わせたようなロシア独特の遊び，ゴロトキは得意中の得意で，大人になっても用具を手放さなかった。

　村の教会学校を卒業後は，牧師になるための神学校に入学。そこで偶然手にしたイギリスの生理学者リューイスが書いた『実用生理学』という本に夢中になり，ボロボロになるまで愛読した。これを境にパブロフの関心は急速に自然科学へ傾いていった。

もちろん父親は息子に牧師になってもらいたかったのでしょうが，そうはいきませんでした。パブロフは神学校を終えると，サンクトペテルブルグ大学の医学部に進みます。ここでパブロフは，元素の周期律で知られるメンデレーエフから無機化学を学びました。1年に1度しか手入れをしないという，もじゃもじゃひげのメンデレーエフの授業を，若き日のパブロフがどんな顔をして聞いていたのか想像するとほほえましくなりますね。

　在学中の生活は，とても質素なものだった。弟と2人で貧しいアパートに住み，酒やタバコもやらず食事も切り詰めて勉強に励んだ。

「兄さん，真夜中すぎだよ。もう寝たら？」

「膵臓の神経支配について，もう少しで論文がまとまるんだ。寝てなんかいられないよ」

「本当に兄さんはタフだなぁ」

ここに1枚の写真があります。パブロフの肩に手を添えているのが，妻のセラフィーマです。彼女は同じ大学で教育学を学んでいた学生でした。結婚したのは1881年，パブロフ31歳のときです。彼女は愛情いっぱいの人で，妥協を嫌って自分の道を頑固に進むパブロフを生涯にわたって優しく支え続けてくれました。結婚した後，パブロフは2年間ドイツに留学するのですが，経済的に苦しい外国での生活を陰で支えてくれたのも妻のセラフィーマでした。

図6.2　パブロフとセラフィーマ[2)]

優れた外科技術とノーベル賞

　留学からロシアに戻ったパブロフは，消化のメカニズム研究に全力を挙げた。パブロフは手先が器用で外科手術に優れた技術を持っていたため，独創的な実験方法をいくつも編み出した。代表的なものが偽餌養法と小胃法の2つである。

　偽餌養法とは，犬を使った次のような実験だった。手術によって食道の部分を途中で切り，首に穴を開けて切り口を外に出す。こうすると犬は餌を食べても上の切り口から落ちてしまうため胃まで餌が届かない。続いて，そのすぐ下にもう1つの切り口をつけて同じように穴を開けて外に出す。これによって下の切り口

図6.3　偽餌養法

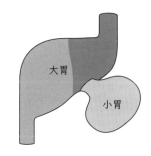

図6.4　小胃法

から栄養を与えられるため，犬を健康な状態に保つことができるのである。

　手術の傷が癒えた犬に餌を与えるとよく食べた。与えられる餌は直接胃に届かないので偽の餌，偽餌と呼ばれた。パブロフはこの実験を偽餌養法と名づけた。こうした観察から消化活動についての多くのことが判明した。

　例えば，食道はぜん動しながら食べ物を下に送る仕組みとなっている。しかし，実験から餌が外に出てしまってもぜん動は止まらないことがわかった。このことからパブロフは食道のぜん動には神経が関係していることを見出したのである。

　もう1つの実験は，小胃法である。胃を2つに切り，それぞれを縫い合わせて大胃と小胃の2つに分ける。そして，小胃の先の部分を腹の皮膚の外に出しておくという仕組みである。こうすることで食べ物が入ると胃の中で何が起こっているのか，小胃から出てくる胃液を調べることによって観察できるようになったのである。

偽餌養法とか小胃法とか，ずいぶん難しい名前ですね。しかし，パブロフの着眼点には感心させられます。犬の健康を保ちつつ，しかも自然に近い形で外からは見えない食道とか胃，腸などの働きを調べられるという独創的な発想にはまったく頭が下がりますよね。

　こうした実験によって集められた膨大なデータと消化についての数々の発見は，高い評価を受けた。これら一連の研究に対し，1904年にノーベル生理学・医学賞が与えられた。パブロフ55歳のときだった。

パブロフがノーベル賞をもらったのは，条件反射の研究に対してではなく，消化の生理に関する研究に対して与えられたものだったのですね。

　ノーベル賞を受賞したとき，すでにパブロフは驚くべき研究に入っていた。きっかけは飼育係の足音だった。足音がして1人の助手が廊下を通ると，足音を聞い

た犬がダラダラと唾液を分泌し始めたのである。この現象はパブロフを驚かせた。
「食べ物を口にすれば唾液が出るのは当たり前だが，今は何も与えていない。どうして唾液を出したのだろう？」

　パブロフは犬を机の上にのせ，音楽で使うメトロノームの音を聴かせて，それから餌をやるという実験を12日間続けた。そして，12日目にメトロノームの音だけを聴かせると，餌を与えもしないのに犬は唾液を流し始めたのである。
「食べ物が口に入ると自然と唾液が出る。これは無条件反射だ。しかし，音や光，物理的刺激など，一定の条件を与えると起こるのは条件反射だ。いったいどんなメカニズムが条件反射を引き起こすのだろう？」

新たな研究所の設立

　ノーベル賞の受賞によってようやく脚光を浴びるようになったパブロフは，1912年サンクトペテルブルグ郊外に新たな研究所を建設した。のちに「沈黙の塔」として知られるようになる条件反射を研究するための施設である。条件反射の研究はこの研究所における最大のテーマだった。所内には人間用よりもはるかに立派な犬の手術室があり，パブロフはしばしば自分でメスをとって手術を施した。そして手術した犬には，設備の整った療養室を用意し，そこで十分な栄養を与えて健康の回復に努めた。犬に対して決して粗雑な扱いをしなかった。

　条件反射学は，研究分野が広範囲にわたるため，ここで全部を述べることはとてもできませんが，例えば，おいしそうなケーキを見ると思わず唾が出てしまう。しかし，それはいったいなぜなんだろうという疑問を解き明かしていく研究でもありました。

　パブロフは，ケーキを見ると唾が出るといった条件反射が，大脳の一番外側の部分・皮質と関係があることを発見した。大脳皮質の一部を切り取ると条件反射は起こらなかったのである。こうしてパブロフは，人間にとって最も複雑な部位

といわれる脳の研究に着手した。大脳生理学が初めてその近代的スタートを切ったのである。

消化に関する研究がノーベル賞として認められ，さらに，条件反射を手がかりに脳の研究という新しい分野に取り組むパブロフ。しかし，ロシアの歴史は，かつてない大きな嵐に巻き込まれていきます。共産主義革命とソビエト連邦（ソビエト社会主義共和国連邦）の誕生です。

1917年に入ると，ロシアに革命が起こりました。レーニン率いる共産党が帝政ロシアを倒し，歴史上初めて労働者が権力を握る国家，ソビエト連邦が誕生したのです。帝政に忠誠を誓っていた学者たちは，ことごとく追放されてしまいました。パブロフはどうだったのでしょうか。

～レーニンに守られた研究所～

　革命で国内が大混乱に陥ったとき，多くの学者や金持ちが外国に逃げ出したのに対し，パブロフは研究所に踏みとどまり，弟子たちの分散も許さなかった。

「私はロシア人だ。最後までロシアと運命をともにする」

　こうしたパブロフの毅然とした態度を革命政府は高く評価した。さらに，革命のリーダー・レーニンは，パブロフの仕事の重要性を最もよく理解していた1人だった。革命政府は最大限の優遇をもってパブロフの研究続行を支援し，経済的にも保証することを正式に決定した。これほどの処遇を受けた学者はパブロフをおいてほかにはなかった。

パブロフはもともと牧師の息子ですから，本来なら宗教を認めない共産主義勢力とは相反するところもあったはずです。しかし，自然科学の発展を重要な国家目的とする政府と，自然科学こそあらゆる学問の中で一番大切なものだとするパブロフの信念とが幸運にも合致したのかもしれません。

革命が起こったとき，パブロフはすでに68歳だった。しかし，革命の嵐が新たなエネルギーを注いだかのように，パブロフの活動は以前にも増して精力的になった。60人以上の研究所員をまるで手足のように自由に使い，次々と新たな研究に着手した。そして飽きることなく若い所員や外国からの訪問者と，科学についての熱い議論を交わした。強い信念と深い洞察は，話を聞いた者すべてに忘れ得ぬ印象を残したといわれている。

　晩年になっても健康そのものだったパブロフですが，ついに終えんのときが訪れます。きっかけは重い肺炎にかかったことでした。

　家族や弟子たちの必死の願いもむなしく1936年2月25日，パブロフはその生涯を閉じた。86歳だった。レニングラード学士院で国葬が行われ，雪の降る中，4,000人近い人々がパブロフの死を悼み，長い行列を作った。

　20世紀の終わり近く，ソビエト連邦が崩壊し，再びロシアが誕生しました。しかし，国の名前が変わっても，長い年月が過ぎようとも，パブロフの打ち立てた金字塔が色あせることはないでしょう。パブロフは，犬と足音という牧歌的ともいえるエピソードからは想像できない，学問に対してこの上なく厳格な人でした。彼はこんな言葉を残しています。

「科学に身を捧げようという若い人たちに，私が望むことは何だろうか。それはまず第一に徹底ということである。徹底，徹底，そして徹底である」

　　脳は分業と協業の両面をもつ面白い装置

理化学研究所脳神経科学研究センター 特別顧問

田中 啓治

　理化学研究所脳神経科学研究センター，こちらの研究室では，人間や動物が物を認識する際の脳の働きを研究しています。

（田中先生）「私たちの研究室では，我々が目で物を見て認識するという視覚的物体認識のメカニズムを研究しています。主な実験はサルを用いて行っています。図6.5は，サルの脳の大脳右半球を横から見たところ（a）と，下から見たところ（b）を描いた図です。目から入った物体に関する視覚情報は，まず脳の一番後ろの後頭葉にある第一次視覚野に伝えられ，次に腹側視覚路に沿ってだんだんに前方の大脳領野に伝わっていきます。前方の領野に伝わるにつれてだんだんに処理が進んでいって，腹側視覚路の最終段の下側頭葉皮質（灰色の部分）では，物体の視覚像の効果的な表現ができあがります」

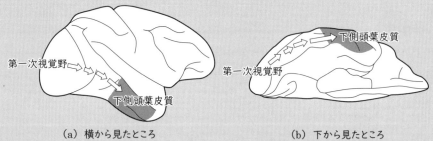

（a）横から見たところ　　　　　（b）下から見たところ

出典：理化学研究所　脳神経科学研究センター

図6.5　サルの大脳右半球における物体視覚情報の流れ

　目で見たものが頭の中で認識される際，脳内では情報の伝達がどのように行われているのか，実験を進める中，意外な事実が判明しました。

（田中先生）「第一次視覚野から下側頭葉皮質に至る経路の中で，だんだんに情報の統合が行われ，情報が組み合わされていきます。第一次視覚野では，物体像

出典：理化学研究所
　　　脳神経科学研究センター

図6.6　下側頭葉皮質の神経細胞が表現する中程度に複雑な図形の例

を非常に細かい部分に分けて，それぞれに含まれる輪郭の傾き，輪郭をまたい
だコントラストの極性，色などの情報をそれぞれの神経細胞の活動が表現して
います。腹側視覚経路に沿って情報が前の領野に伝わるにつれて，これらの要
素的な情報がだんだんに統合され，1つずつの神経細胞がより複雑な図形特徴
を表すようになります。そして腹側視覚路の最終段の下側頭葉皮質では，図6.6
にあるような中程度に複雑な図形特徴にひとつひとつの神経細胞が反応してい
ることがわかりました。脳の中では，このような中程度に複雑な図形特徴の組
み合わせで，物体像は表現されているのです」

　サルを使った実験の一方で，人間の脳についてはどのような方法で研究
が進められているのでしょうか。

（田中先生）「私たちは，ヒトの脳の働きを，MRI装置（図6.7）を使って研究して
います。病院では，MRI装置を使って脳の構造の異常を検査しますが，装置
の使い方を変えると，局所的な血流量の変化を介して脳活動を測定することが
できます。私たちは，この機能的MRI測定法を使って，ヒトが物を見て認識
したり，状況に応じた意思決定をしているときの脳活動を調べています」

　機能的MRIによって大脳皮質内の神経細胞は，似た性質を持った細胞
が0.5ミリから1ミリ程度の幅の中に集まっていることが明らかになり

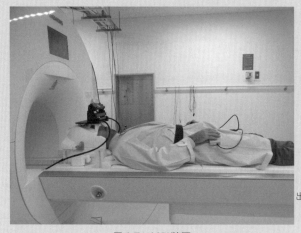

出典：理化学研究所
脳神経科学研
究センター

図6.7　MRI装置
　目の前に設置したゴーグルにより提示した視覚刺激に対して，ボタン押しで応答する
実験の準備をしたところ。被験者台が移動して，被験者の頭部がマグネットの中心に
移動した後に実験を開始する。

ました。これらは「コラム」と呼ばれ，脳の働きを解明する大きな手がかりとなっ
ています。

（田中先生）「第一次視覚野には，左目からの入力に主に反応する神経細胞と右目
　からの入力に主に反応する神経細胞がそれぞれ集まっている眼優位性コラム構
　造があります。1つずつの左目コラムと右目コラムが脳の表面に沿って細長く
　広がっていて，左目コラムと右目コラムが互い違いに並び，縞模様のような構
　造を作っています。左目の像と右目の像を比較することで，眼優位性コラムは
　両眼立体視を実現していると考えられます。コラム構造は脳の特徴をよく表し
　ています。脳にはたくさんの領野があり，それぞれにたくさんのコラムがあり
　ます。これらの領野やコラムは，みんな同じ働きをしているわけではなく，そ
　れぞれ異なる働きをしています（図6.8）。しかし，全体としての大きな機能を
　果たすときには，どれ1つが欠けても遂行できません。独自の役割を持ちなが
　ら協力し合って大きな機能を果たす，脳は分業と協業の両面をもった非常に面
　白い装置だと思います」

□ 左目>右目

■ 右目>左目

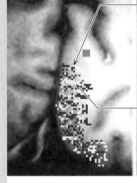

右目刺激に強く
反応した脳領域
（黒い部分）

左目刺激に強く
反応した脳領域
（白い部分）

1cm

出典：理化学研究所
　　　脳神経科学研究センター

図6.8　眼優位性コラム構造

被験者は白黒のチェッカーパターン（右上）の白黒を1秒間に7.5回反転する視覚刺激を見た。刺激を左目に提示したときの脳活動と刺激を右目に提示したときの脳活動を比較して，大脳皮質第一次視覚野の眼優位性コラム構造を決めた。下2つの画像の黒の部分が右目刺激に強く反応した脳領域，白の部分が左目刺激に強く反応した脳領域を示す。

読書案内

脳科学の教科書　神経編
脳科学の教科書　こころ編

理化学研究所脳科学総合研究センター 編，岩波ジュニア新書(2011，2013)

神経細胞とシナプス，そして感覚，運動，言語，感情などの脳の働きを，中高生向けにわかりやすく説明しています。脳科学の最新の研究成果も一部紹介しています。

「草を褥に
　木の根を枕
　花と恋して五十年」

日本の植物学の父
牧野富太郎
Makino Tomitaro

1862-1957

 略 歴

1862（文久 2）年	土佐国高岡郡佐川村（現在の高知県高岡郡佐川町）で生まれる。 10 歳頃に寺子屋に入り，12 歳のとき小学校へ入学する。 植物に興味を持ち，小学校を中退して，独学で植物学の研究をする。
1884（明治 17）年	22 歳のとき東京に出る。東京大学の植物学教室に出入りする。
1888（明治 21）年	『日本植物志図篇 第 1 巻第 1 集』を自費出版する。
1890（明治 23）年	ムジナモ発見。寿衛と結婚。
1893（明治 26）年	東京大学の助手となる。
1912（明治 45）年	東京帝国大学講師となる。
1940（昭和 15）年	『牧野日本植物図鑑』を出版する。
1957（昭和 32）年	94 歳で逝去。

⚜ 東京大学からの拒絶 ⚜

　1890（明治23）年，ここは東京大学の植物学教室。牧野富太郎は，今，耳にした言葉が信じられず，思わず立ち上がって叫んだ。

「先生，なぜですか？　どうして急に！」

　植物学教授・矢田部良吉の口調は，冷ややかで断固としていた。

「君は，私たちが計画しているのと同じような本を出版しようとしている。実に迷惑だ。今後，この研究室の標本や文献を使うことは遠慮したまえ」

「そんな！　この出版は多くの人に植物学を知ってもらうためです。どうしてそれがまずいのですか？」

「くどいな君も！　大学とは何の関係もない君が自由に標本や文献を使えたのは誰のおかげだと思ってるのだ。以降この教室への立ち入りは，絶対に禁止する」

　体中の血が逆流するような怒りを抑えるのに牧野は必死だった。

「なぜ僕を締め出すんだ？　僕がどんな悪いことをしたというんだ。この人の単なる嫉妬じゃないか。大学の教授なんてこの程度の人間なのか？」

　小学校中退の学歴しかない牧野は，こうして東京大学植物学教室から追い払われた。彼はこのまま屈するのだろうか。それとも大学の官僚主義と生涯を賭けた戦いを開始するのか。牧野富太郎，このとき28歳だった。

⚜ 裕福だけど孤独な少年時代 ⚜

　自分のことを「私は草木の精だ」と公言してはばからなかった牧野富太郎は，誰よりも植物を愛し，植物研究に一生を捧げた学者でした。しかし，権威や地位を嫌い，すさまじい貧乏に追いまくられたその生涯は，なんとも破天荒でした。
　日本に初めて植物学を根づかせた牧野富太郎の波乱の足跡をたどってみましょう。

　牧野富太郎は1862（文久2）年，土佐国高岡郡佐川村（現在の高知県高岡郡佐川町）

で生まれた。明治維新まであと6年という幕末である。実家は苗字帯刀を許された酒造業を営む裕福な商人で，およそ貧乏とは縁がなかった。

小さい頃，両親と祖父を相次いで亡くし，牧野は祖母の手で育てられることになります。草や木，花を眺めたり，集めたりするのが好きだったのは，もしかしたら両親のいない寂しさを紛らわすためだったのかもしれません。

牧野は10歳頃に寺子屋に入り，その後「名教館」という藩の学校で勉強。12歳の頃，初めて開設された小学校へ入学した。しかし，彼の学力は進みすぎていて授業は面白くなく，いつしか学校へは行かなくなった。

これが小学校中退という学歴の真相です。当時の牧野にとっては，将来これがどんなふうに受け取られるかなんてまったく関心がありませんでした。野山を巡って好きな植物を集めてくる。祖母にねだって高価な植物の専門書を買ってもらい，一生懸命調べる。もうそれだけで牧野の毎日は充実していたのです。

　この頃，こんなエピソードが残されている。ある日，牧野はいつも通る沼に見知らぬ水草を発見した。早速採集して持ち帰り，本で調べたが，いったい何という名前なのか全然わからない。仕方ないので手桶に水を張って浸しておいた。すると，通りかかった田舎から来ていたお手伝いさんがそれを見てつぶやいた。「あれ，ヒルムシロ。こないにぎょうさん採ってきてどうするんじゃろ？」
　牧野は驚いて何度もその名前を確かめ，急いで本で調べてみた。するとそこには，「ヒルムシロ」という名前でその水草がちゃんと載っていた。それまで土佐で植物の名前を一番知っているのは自分だと思っていた彼は，そんな自分の思いを恥じた。そして，日々の生活の中で植物に触れることの大切さを心に刻んだ。

後年，学者になった牧野は，自分の足で歩いて植物を採集することに徹底的にこだわりました。「植物はじかに触れてこそ本当の姿を見せてくれる」という信念は，こうした子どもの頃の体験からも培われたといえるでしょう。

大きな夢とともに上京

1884（明治17）年，22歳の牧野は東京に出た。牧野がいの一番に訪ねたのは，当時ようやく夜明けを迎えようとしていた日本の植物学研究で，最も充実した設備を導入していた東京大学の植物学教室であった。

長身でつやのいい黒髪をさっそうとなびかせ，抱えきれないほどの土佐の植物の標本や写生を持って現れた自信満々の青年を，主任教授・矢田部良吉は温かく迎えてくれました。のちに2人が激しく対立し合うことなど誰にも想像できないことでした。

ヨーロッパで植物学がブームになったのは18世紀であり，その中心人物はスウェーデンのカール・リンネだった。現在でも使われている「属と種」という2つの学名をつける二名法は，彼の考え出したものである。リンネは大変な自信家で，こんな言葉も残している。

「この世界は植物界に属する限り，すべて私の方法で容易に記載できる。何か見つかったら解釈はさておいて私の体系にしまっておけばよいのだ」

こうして1世紀以上も先行していた外国の植物研究に対し，明治中頃の日本は，はるかに立ち遅れていた。未知の植物の種類を判定して正しい学名を知ることや，すでに日本式の呼び名で知られているものに正確な学名を当てはめる作業もほとんどできていなかったのである。

牧野は壮大な夢を持ちます。日本の植物の種類を1つ残らず調べ，未確認の種類も確認して，その分布の仕方やそれぞれの詳細な観察記録をまとめようという夢です。

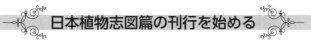
日本植物志図篇の刊行を始める

　牧野は26歳のときに『日本植物志図篇 第1巻第1集』を自費出版。彼の自筆による植物の図で構成されたこの本は賞賛をもって迎えられ，牧野はその実力を認められる。

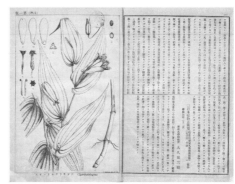

図7.1　『日本植物志図篇 第1巻第1集』[1]

こうして牧野は夢への小さな一歩を踏み出したのです。さらに2年後，彼は大きな発見をします。

　1890（明治23）年，28歳のとき，牧野は江戸川の用水地に浮かぶ見慣れぬ水草を採集した。研究室に戻り調べたが，なかなかわからなかった。しかし，その水草は，ヨーロッパ，インド，オーストラリアでしか見つかっていなかった水草で，牧野の新発見によって日本にも存在することが初めて明らかになったのである。

図7.2　ムジナモ[2]

牧野はこの世界的発見ともいえる水草に「ムジナモ」という名前をつけた。

　こうして牧野は，植物の研究者として着々とその歩みを進めていた。しかし，突然，とんでもない事態が持ち上がる。冒頭で紹介した矢田部教授からの植物学教室出入り禁止の申し渡しである。学歴もない一介の素人が，大学の権威を差し置いて名声を得始めていることへの怒りが，この措置の根底にあったと思われる。

　また，この頃，実家の経済状況が大変悪くなり，牧野への送金が困難になってきました。これは，牧野が家業を顧みず，その資産を際限なく自分のやることにつぎ込んでいった結果でした。実家はやがて破産してしまいます。悪いことが続き，さすがに牧野もがっくりきます。しかし，捨てる神あれば拾う神あり。大学を追い出されて3年後の1893年，事情があって矢田部教授は退職。改めて牧野は呼び出され，今度は正式に植物学教室の助手として採用されました。このあたりのことを回想する牧野の口調はいかにも元気です。

「考えてみると，大学の矢田部教授と対抗して大いに頑張っていくということは，いわば横綱とふんどし担ぎとの取り組みのようなもので，私にとっては名誉と言わねばならぬ。そこで，南国土佐の一男子として大いに我が意気をみすべしと，大いに発奮してどしどし出版を続けることにした」

実際，このあたりから牧野の活動は急ピッチになります。念願の『日本植物志図篇』も月に1冊のペースで出版。自分の足で採集してきた標本もぐんぐん増えます。しかし，何よりも増えたのは，借金の額でした。

捨てる神あれば拾う神あり──牧野の情熱の力

　助手の月給は15円。しかし，牧野は，その何倍もする専門書を次々に買い込む。出版のためには金を惜しまない。さらに，裕福だった時代の癖が抜けないのか，採集旅行には一等車に乗り，一流旅館に泊まる。かくて借金は雪だるまのように増えていったのである。すでに結婚していた牧野の家庭では子どもも次々に生まれ，毎月の生活費にも事欠くありさまだった。

子どもたちが給料日に父親の職場にお金をもらいと行くと，もう借金取りが先に来ていることもしばしばでした。子どもたちもボロを着ていましたが，父親も肘の抜けた洋服で毎日過ごしていました。もちろん，しょっちゅう差し押さえにあいました。

　「執達吏にはたびたび見舞われた。私は積み上げられたおびただしい植物標本，書籍の間に座してあぜんとし，彼らの所業を見守るばかりだった。一度などはついに家財道具の一切が競売に付されてしまい，翌日には食事をする食卓もないありさまだった」

大変な貧乏生活。しかし，そんな生活を支えた人がいました。妻の寿衛夫人です。

　牧野がお菓子屋の娘・寿衛を見初め，結婚したのは牧野が28歳，寿衛15歳のとき。牧野が貧乏生活に突入する直前のことだった。以降，牧野の研究と家族の

生活を支えるため，彼女の人生は苦労の連続となる。

「妻は，私のような働きのない主人に愛想を尽かさずよく努めてくれた。私のごとき貧乏学者に嫁いできたのも因果と思って諦めたのか，嫁に来たての若い頃から芝居を観たいと言ったこともなく，流行りの帯1本欲しいと言わなかった」

借金取りへの対応は夫人の役目だった。家の外に赤い旗が立っていると，それは借金取りが来ている合図。牧野は近所をうろつき，旗のなくなるのを待つのであった。

こうして牧野は，夫人に支えられながら研究に没頭していきますが，借金は膨らむ一方。とうとう月給の100倍以上の額になってしまいます。

あまりの貧窮ぶりを見かねた教授の1人が動いてくれて，三菱の岩崎家が借金をまとめて清算してくれた。しかし，ほっとしたのも束の間，今度は大学で再び牧野の排斥運動が起こった。

理由は，大学の研究者序列を無視して，勝手に研究し発表する牧野流のやり方への敵意でした。しかし，今回は牧野の味方は多く，この排斥運動は失敗。かえって牧野は，この事件をきっかけに正式に講師に昇格し，月給も30円に倍増されました。何よりも研究を最優先する牧野の情熱が問題を引き起こし，その情熱に理解ある人々が彼を救う。牧野の人生はその繰り返しでした。

牧野は採集活動を一層強め，研究成果を矢継ぎ早に出版し，今や日本の植物研究会にあっては第一人者という評判が高くなった。また，牧野を中心にした植物同好会が多く作られ，一般の人々に植物学を根づかせるために力を尽くした。牧野は植物好きの人となら誰とでも熱心に分け隔てなく会話を交わしたという。

牧野の生涯は，明治，大正，昭和と３代にわたります。講師になったときが50歳。これからまだ半世紀近くを生きますが，貧乏とは縁が切れるのでしょうか？　彼が抱いた日本のすべての植物の種類を調べあげるという夢は実現できるのでしょうか？　牧野の後半生を見てみましょう。

スエコザサ

　一度は精算した借金だったが，いつの間にか前よりはるかに多くなっており，もはや手の施しようがなくなっていた。同情した新聞が牧野の貧乏ぶりを報道し援助の手を呼びかけた。名乗りをあげた関西の資産家により借金は清算され，牧野は再び窮地を脱した。

牧野はどうやら借金がたまることは悪いこととは思っていなかった節があります。生活をし，研究を続けるためにはどうしても必要な金がいる。月給でそれが足りないなら借金で補うのは当たり前じゃないか，というわけです。堂々たる借金人生といってもいいのかもしれません。

　「少しでも家計の助けになれば」と寿衛夫人が渋谷で待合茶屋を開業した。夫人

図7.3　牧野博士が発見し妻の名を入れて命名した「スエコザサ」[3)]

の人柄も手伝って順調だったが，「講師の妻が待合茶屋を経営するなんて」と，大学で陰口がささやかれ，店を閉めざるを得なかった。

夫人は，商売で得たお金をコツコツ貯め，練馬区の大泉に家を建てました。これが牧野の終の住処になり，現在も牧野記念庭園として残っています。ここにたどり着くまで家主に追い出されて一家は18回も引っ越しを繰り返していたそうです。大泉に落ち着いたとき，年号も昭和に改まり，牧野も64歳になっていました。その翌年の1927（昭和2）年，牧野は理学博士の学位を授与されています。権威を嫌う牧野本人はもちろん嫌がりましたが，それを望む周囲の声を無視できず，嫌々ながらに受け取ったようです。そのあまりの仏頂面に，祝賀会を開くのもはばかられたということです。

　夫が社会的な地位を得るのを見届けた1928（昭和3）年，寿衛夫人は病気で亡くなった。54歳だった。貧困の中で自分を支え続けて一生を終えた妻をしのんで，牧野は前年に東北で見つけた新種の笹にスエコザサという名前をつけた。

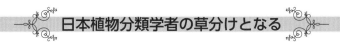

日本植物分類学者の草分けとなる

　1940（昭和15）年，牧野は10年をかけて執筆した『牧野日本植物図鑑』を出版した。これは牧野の代表作といえるもので，彼の植物一筋にかけた執念がページの隅々にまで行きわたった図鑑だった。牧野の夢はまだ未完成とはいえ大きく前進したのである。

そして戦争が始まり，日本は敗れました。なんとかこの困難な時代を生き抜いた牧野は，戦後まるで自分に残された時間はもう多くないと思ったのか，精力的に執筆し，多数の著作を出版しました。この活動によってどれほど植物学が一般に身近なものになったか計り知れません。

図7.4 『牧野日本植物図鑑』[4]

　90歳を超えた頃から体の衰弱が目立ち始めた。病床でも植物の写真が見たいといって写真を持って来させていた牧野だったが，疲れを知らなかった強靭な肉体にもいよいよ最期のときがきた。1957（昭和32）年1月18日，家族に見守られ，牧野はその生涯を悠々と閉じた。94歳であった。

　「採集に出かける日は朝早く起きて，まるで子どもが遠足に行くときのようにうれしそうで，夜明けの空を眺めていそいそと出かけて行った」と娘さんが語っていますが，その光景が目に見えるようです。
　「植物の世界は，私にとって天国であり，また，極楽である」と牧野は言いました。周囲の人々にとって彼の生き方は天国どころか，ときにははた迷惑なものだったかもしれません。それでも牧野の植物への愛情は誰にも止められず，その気持ちは多くの人々に伝染していきました。牧野は学問を通して植物を愛する心を世間に広めたのです。牧野は自分の生きざまを50歳のときに読んだこんなしゃれた都々逸で残しました。

　「草を褥に木の根を枕　花と恋して五十年」

東京都立大学理学部生命科学科（牧野標本館）教授

村上 哲明

　牧野富太郎博士は自ら日本中を旅行して，多数の植物の押し葉標本を採集し，その外部形態を詳細に比較観察して多数の新種を発表しました。このようにして収集された約40万点の標本は，牧野博士が逝去された翌年の1958（昭和33）年に東京都立大学に寄贈され，それを整理収蔵するために牧野標本館が設置されました（現在の牧野標本館・本館，図7.5）。そして，牧野博士が所蔵していた標本のうち，いつ，誰が，どこで採集したかがわかった約16万点の標本については，種ごとに整理されて，牧野標本館の植物標本庫に収蔵されています（図7.6）。さらに，2018（平成30）年には，牧野標本館・別館が新設され，新たに125万点の標本を収蔵できる植物標本庫も増設されました。牧野博士の標本は，現在はこの新しい標本庫（図7.7）に収蔵されています。

　さて，牧野博士の時代には，主として外部形態の比較に基づいてそれぞれの種が識別・認識されていました。そのような形での種の認識は日本国内では一段落付くところまで進んでいます。一方で，植物分類学は，牧野博士の時代から大き

図7.5　東京都立大学南大沢キャンパス内にある現在の牧野標本館・本館

な変化を遂げています。例えば，現在では野生植物についても，それがもつDNAの情報を解読することが容易に行えるようになりました。その結果，外部形態がそっくりで，形の違いで識別するのは困難であるが，遺伝的には分化をして交雑ができない別の種（隠蔽種と呼ばれます）が多数認識され，新種として記載されています。

さらに，次世代DNAシーケンサーと呼ばれる超高速でDNAの配列情報を解読できる機器の進歩により，1つの野生植物の個体がもつすべての遺伝情報（ゲノムと呼ばれます）を解読することもできるようになりました。逆にこの技術を

図7.6　牧野標本館に所蔵されている牧野富太郎博士の植物標本（ヌカイタチシダ）

図7.7　2018年に新設された牧野標本館・別館（左）とその新しい標本庫（右）

使えば，牧野博士が100年前に採集した標本に含まれるDNA（分解が進んで短いDNA断片になってしまっている）の解読もできます。その結果，例えば，牧野博士が100年前，80年前，60年前などに同じ場所で採集していた特定の植物種のゲノムを，現在その場所に生育している同じ種の個体のゲノムと比較して，最近100年間の遺伝子の変化を追跡するといったことも可能になりました。実際に地球温暖化が進んだ現在，暖かい環境により適した対立遺伝子が最近劇的に増加したという研究成果も，牧野博士が残した植物標本を活用して得られています。牧野博士が明治から昭和にかけて日本中で採集した標本は，今後ますます重要な研究試料にもなっていくことでしょう。

　これまで述べてきたように，現在の植物分類学は，遺伝学や生態学，あるいは進化生物学の要素も取り込んで，野生植物の種レベルの多様性のみならず，種内の遺伝子レベルまで含めた多様性，それを生み出した進化学的要因，あるいはそれらの多様性を自然界で維持するのに寄与している生態学的要因なども含めて解明する総合的な学問分野となっています。植物分類学は現在でも決して時代遅れの学問分野ではなく，21世紀に大きな発展が期待され，さらに人類が自然環境と共生していくうえでも不可欠な情報を提供してくれる生命科学の基礎学問分野となっていることを最後に強調しておきたいと思います。

読書案内

したたかな植物たち　あの手この手のマル秘大作戦（春夏篇・秋冬篇）
多田多恵子 著，ちくま文庫(2019)

さまざまな野生植物のもつ驚くべき性質が，楽しく紹介されています。現在の植物分類学は，個々の植物のもつ性質を明らかにする学問分野となっています。

「私は細胞の中に入っていく。

　すると，

　周りが全部見える気がします。

　そして私は

　細胞の一部になるのです」

動く遺伝子の発見
バーバラ・マクリントック
1902-1992
Barbara McClintock

🎖 略 歴 🎖

1902 年	アメリカ・コネチカット州ハートフォードで生まれる。
1919 年	コーネル大学で植物遺伝学を専攻，1927 年に博士号取得。
1931 年	トウモロコシの染色体に色や形などの特徴を決定づける遺伝子が存在すると発表する。
1942 年	コールド・スプリング・ハーバー研究所に入る。
1951 年	「トランスポゾン（動く遺伝子）」について発表。
1960 年	フランスの分子生物学者が大腸菌に動く遺伝子を確認したことをきっかけにマトリントックが再評価される。
1983 年	ノーベル賞を受賞。
1992 年	90 歳で逝去。

ノーベル賞の受賞

　1983年10月10日の早朝，81歳になったバーバラ・マクリントックは，いつものように朝の散歩に出かける支度をしていた。ラジオから自分の名前が聞こえた気がして，マクリントックはラジオの方を見た。アナウンサーの声は，彼女がその年のノーベル生理学・医学賞に決まったことを告げていた。

「おやまあ」

　それだけつぶやくと，何事もなかったように，いつものダブダブの作業服に頑丈な靴を履き，外に出ていった。

　ロングアイランドにあるコールド・スプリング・ハーバーの林を，落ちているくるみを拾いながら歩く。マクリントックのいつもの日課である。彼女の家には電話がない。そのため，受賞のニュースはラジオで知ることになったが，このビッグニュースも彼女の日課を変えはしなかった。数日後，押し寄せた記者団に囲まれてマクリントックは困惑した表情でこう答えた。

「私は謎が解きたくてトウモロコシに問いかけ，その反応を観察してきました。それはとても楽しい仕事でした。心の底から楽しんで，そのうえこんな賞までもらうなんて，少し不公平な気がしますよ」

　マクリントックは，女性初のノーベル生理学・医学賞単独受賞者である。科学の研究が巨大なシステムを必要とするようになった現代では，共同研究，共同受賞が当たり前になった。しかし，マクリントックのように個人が積み重ねた研究が評価され，単独受賞するのは極めて異例だった。人々は彼女を「現代のメンデル」と呼んだ。

顕微鏡を覗くと，そこには肉眼では見えない不思議な世界が開けてきます。あらゆる生き物は小さな細胞が積み重なって成り立っていますが，こうした生命の神秘を生涯にわたって探り続けた1人の女性科学者がいます。バーバラ・マクリントックです。彼女は，トウモロコシの研究を通じて遺伝の秘密を解明し，ノーベル賞に輝いた遺伝学者です。強い信念で誰にもまねのできない独特の生き方を貫いた遺伝学者，バーバラ・マクリントックの生涯を追ってみましょう。

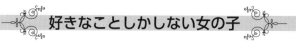

好きなことしかしない女の子

バーバラ・マクリントックは1902年6月16日，コネチカット州ハートフォードで生まれた。上に姉が2人おり，父親は医者だった。

マクリントックは，研究者になってから周りから変人扱いされるのですが，実は両親が少し変わった人でした。子どもには好きなようにさせる，学校に行きたくないといえば行かなくてもいい，女の子らしくしたくないといえばそれもオーケー。徹底した放任主義でした。

「ある日，近所のおばさんが『少しは女の子らしくしたら？』と忠告してくれました。それを母に話したら，母は怒って，そのおばさんに『人の家のことに干渉するな』と厳しく抗議しました。子どもの頃の記憶といえば，男の子と遊んだ記憶しかありませんね」

子どもには好きなことをさせた両親だったが，大学に進学したいというマクリントックの希望に対して，母親は猛然と反対した。

「女の子が高等教育を受けるなんて，とんでもありません。そんなことをしたらきっとお嫁にもいけなくなるでしょ。私は絶対許しません」

「私は勉強がしたいの。好きなことをしてどうしていけないの？」

母親は最後まで反対でしたが，父親は理解を示してくれました。そしてマクリントックは，念願の大学進学を果たすことができたのです。

遺伝学との出会い

1919年，コーネル大学農学部に入学。マクリントックにとって心のふるさととなった学校である。その頃の彼女は身長152センチ，体重40キロという小柄な体。髪を短く切り，タバコを吸い，冗談が大好き。勉強もエネルギッシュに取り組み，活発な大学生活を過ごした。ここで彼女は，自分の将来を運命づける遺伝学と巡り合ったのである。

遺伝学は，当時新しい学問だった。チェコの修道士グレゴール・ヨハン・メンデルが遺伝に関する法則を発表したのは1865年。エンドウマメを使った実験により，豆の形質が子孫に伝えられる場合のいくつかの法則が発見された。

しかし，メンデルの法則は，彼が生きていたときにはまったく認められなかった。彼の偉大な研究を世界が知ったのは発表後35年経ってからで，マクリントックが生まれる2年前のことだった。

コーネル大学では遺伝の研究材料としてトウモロコシが使われていた。トウモロコシの染色体（細胞の核内に存在し，細胞分裂の際に現れる棒状の物質）が遺伝の研究に適していたためだったが，観察するには世代交代に1年の時間がかかるという難点があった。

トウモロコシを育成する農作業は重労働である。日照りになれば丘の上まで作業道具を運び，炎天下のもとで水を撒き続ける。夜中に洪水でも起これば，車のヘッドライトの中で流されたトウモロコシを植え直す。しかし，マクリントックは少しも苦労を感じていなかった。

「私は朝になるのが待ちきれませんでした。だって今日も畑に行ってトウモロコシを観察できると思うと，うれしくてワクワクしたからです。まるでそれは謎を

解いていくゲームのようなものだったのです」

　大学を卒業したマクリントックは，コーネル大学の大学院に進み，研究生活を続けた。彼女の周りには，後に遺伝学の研究でノーベル賞を受賞するジョージ・ビードルをはじめとした優秀な若者たちが集まった。マクリントックを中心としたその集団は，何でも相談し合い，互いに厳しく，熱心に研究に取り組むグループだった。

　1927年，マクリントックは24歳で博士号を取り，植物学の講師として大学に残った。仲間たちの協力もあり，やがてマクリントックは，注目を集める最初の研究を発表した。

　染色体というものが遺伝に何らかの関係があることは当時知られていたが，しっかりした証拠でそれを証明した者は誰もいなかった。マクリントックが取り組んだのは，まさにこの問題だった。彼女はトウモロコシ内の特定の染色体が，親と子ではどのような条件のとき，どう変化するのかをさまざまな交配実験を通じて観察した。その結果，色や形などの特徴を決定づけるための遺伝子が染色体上に存在することを確認し，これらが生物界に現れる多様性を生んでいると結論づけたのである。

図8.1　マクリントックが使用した顕微鏡[1]

1931年，マクリントックは，この研究結果を学会に発表した。反響は大きく，彼女は一躍有名になった。マクリントックが29歳になる年のことであった。

このまま順風満帆にいくかと思えたのですが，世の中そんなに甘くはありません。この時代には女性への差別が当たり前のようにありました。大学教授を目指したマクリントックもその壁にまともに突き当たります。

「女が教授になるだって？　考えただけでもゾッとする」
「そんなことになれば，我が国の学問水準は，100年は遅れますな」
「そのとおり。異議なし」
「そうだそうだ」

　マクリントックは，愛するコーネル大学を去った。それからの5年間は，定職に就くことができず，あちこちの大学や研究所で短期の臨時雇いでしか研究ができなかったのである。
「つらいというより，腹が立って仕方がありませんでした。もし私が男だったらもっと自由に科学者としての機会を与えられていたと確信していましたから」

自分の道を突き進む強さ

　1936年，34歳になったマクリントックは，友人たちの協力もあって，ようやくミズーリ大学に助手の職を得た。しかし，ここも安住の地ではなかった。

彼女は，大学では変わり者でした。鍵を忘れると学校の塀をよじ登って研究室に入る。学生たちに作業があるなら，校則で決められた退室時間なんか守らなくていいと許す。目上の者に対してもしんらつなことを平気で言うなど，大学の決まりより自分のペースを優先させるマクリントックは，トラブルメーカーのレッテルを貼られてしまったのです。

「マクリントックさん，あなたの味方をする上司が退職すれば，学内であなたの立場は間違いなく危うくなるだろうね」

　学部長の言葉にマクリントックは激しい怒りを覚えた。

「それなら休暇をいただきます。私は二度と戻るつもりはありません」

　1941年，マクリントックは，半ば飛び出すように大学を辞めた。翌年，研究グループで一緒だった仲間の紹介で，コールド・スプリング・ハーバーの研究所で仕事を再開した。

「正直なところ，初めはあまり気乗りしませんでした。というのも，本当は自分が何をしたいのか，自分自身でもよくわからなくなっていたからです」

　しかし，コールド・スプリング・ハーバーは，思いもかけなかった幸運を彼女にもたらしてくれた。ここでは学生を教える義務もなかったし，研究内容は誰からも拘束を受けなかった。夏の間はトウモロコシの栽培に気を配り，静かな冬にデータを分析する。彼女が長年望んでいた誰にも邪魔されない研究一筋の生活が実現したのである。

図8.2　コールド・スプリング・ハーバーの研究室でのマクリントック（1947年）[2]

─トランスポゾン─動く遺伝子の発見

そして，コールド・スプリング・ハーバーで動く遺伝子（トランスポゾン）が発見されます。

「あら？　これは何かしら？」

　きっかけは，トウモロコシの葉っぱに奇妙な斑点を見つけたことだった。その葉っぱは，自家受精(同じ型の遺伝子同士をかけ合わせて子孫を作ること)を繰り返した親のトウモロコシから生まれたものだった。

「この斑点はどうして現れたのだろう？　これはいったい何を意味しているのだろう？」

　マクリントックにひらめくものがあった。「この現象は，遺伝子はどうやってコントロールされているかという遺伝の根本につながっているのではないだろうか？」。彼女は，ほかのすべてを放り出してこの現象の研究に取りかかった。

　コツコツと研究を続けること6年，膨大な資料や原稿の山が研究室を覆い尽くした。やがてマクリントックは，形質を決める遺伝子をコントロールする調節遺伝子を2種類見つけ，その性質を明らかにした。1つは，色などの形質を決める

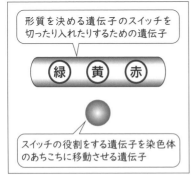

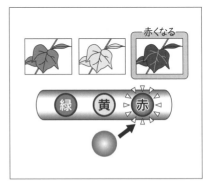

図8.3　2種類の遺伝子

遺伝子のスイッチを切ったり入れたりするための遺伝子。もう1つは，スイッチの役割をする遺伝子を染色体のあちこちに移動させる遺伝子である。この遺伝子は，染色体上を動き回ることで葉っぱの色を変化させたり斑点を作り出したりする性質を持っていた。

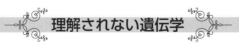

理解されない遺伝学

1951年，マクリントックは，この発見をコールド・スプリング・ハーバーで開かれたシンポジウムで発表した。「動く遺伝子，そんなものあるはずない」。彼女を待っていたのは，否定と無関心だった。

その86年前，メンデルが初めて自分の説を発表したときに受けたような冷たい反応でした。無関心で迎えられたマクリントックの研究ですが，それは理由のないことではありませんでした。コールド・スプリング・ハーバーで1人研究を続けているうちに，遺伝学の分野では新しい形でのアプローチが進んでいたからです。

マクリントック以降に登場した物理学者や科学者によって，遺伝子の本体がDNAであることが明らかにされ，その構造を表した二重らせんモデルが発表された。こうした研究が発展するにつれ，遺伝学は分子生物学一色に変わってしまったのである。

つまり，マクリントックのような古典的な方法による遺伝学は，時代的にもうはやらなかったのです。トウモロコシを通じて発せられる言葉自体が，理解されませんでした。

マクリントックは5年後に再度発表を行ったが，反応は前回よりも悪かった。彼女は「コールド・スプリング・ハーバーをうろついて，同じことを繰り返し語っている変なおばあさん」とまで陰口をたたかれた。

やがてマクリントックは，深い沈黙を選んだ。メンデルが修道院の奥に身を潜めたように，彼女もコールド・スプリング・ハーバーの小さな研究室に身を潜め，黙々とトウモロコシとの対話を続けた。

「確かに初めはショックでした。でも，そのうちなんともなくなりました。私は間違っていない。だったらほかの人が賛成しようが反対しようがどうでもいいことじゃないですか。私には研究そのものが楽しかったのですから」

ひたすら自分の研究を追い求めた生涯

　あまりに独創的で時代に先んじていたマクリントックに，ようやく時代の方が追いつき始めました。

　1960年，フランスの分子生物学者が，大腸菌に調節機能を持った遺伝子の存在を確認した。これをきっかけに，分子生物学は高等生物を含むさまざまな生き物に，マクリントックの主張した動く遺伝子を見出し始めたのである。

　1970年代に入ると，彼女への再評価は一気に加速され，いろいろな学術団体から表彰が相次ぎます。ノーベル賞はその集大成ともいえました。

　1983年12月1日，小柄で白髪のマクリントックが賞を渡されたとき，聴衆は会場の床が揺れるほどの大歓声を送った。女性であるがゆえに差別されながらも決して自分の信念を曲げず，黙々と研究を続けた末に成し遂げた偉業。マクリントックに送られた拍手は，彼女の生き方への賞賛でもあった。

「悪くない人生だったと思いますよ。うちの家族はだいたい90歳で死ぬんです。私もそろそろかもしれません」

1992年9月2日，マクリントックは永遠の眠りについた。彼女が予言したとおりの90歳だった。

　マクリントックの生涯をたどってみると，優れた科学者の仕事は，その人の個性や生き方を抜きにしては成り立たないということを改めて私たちに示してくれたという気がしますね。彼女は生涯結婚しませんでしたが，人への愛以上に物言わぬ植物にひかれたのかもしれません。その細胞を顕微鏡で覗くとき，彼女はこう言いました。

　「私は細胞の中に入っていく。すると，周りが全部見える気がします。そして私は細胞の一部になるのです」

エピローグ *Epilogue*   ❧ 遺伝子の機能解明を目指して ❧

農業生物資源研究所 元理事長

廣近 洋彦

　動く遺伝子（トランスポゾン）の研究の現状について，私たちの研究を中心に紹介します。

　トランスポゾンは最初トウモロコシで発見されましたが，その後，細菌からヒトを含む種々の生物から発見されており，生物界に普遍的に存在すると考えられています。マクリントックが発見したトランスポゾンは，自分自身を切り出して染色体の別の場所へ転移をしますが，自分自身は動かず自分のコピーを作り転移するトランスポゾンが，細菌以外の生物から発見されており，レトロトランスポゾンと呼ばれています。レトロトランスポゾンは，転移に伴い数が増えるため，多くの生物種でゲノム（生物が持つ全DNA）の主要な成分となっています。例えば，イネでは35％，トウモロコシでは80％，ヒトでも50％が，レトロトランスポゾンを含むトランスポゾンで占められているのです。トランスポゾンは，遺伝子にさまざまな変異を誘発するため，生物の進化に重要な役割を果たしてきたと考えられてきましたが，近年，進化に貢献した事例が多数報告されています。

　一方，このように多数存在するトランスポゾンが転移を続けると変異が頻発し，生物種の存続が危ぶまれますが，ほとんどのトランスポゾンはすでに構造が壊れて，転移することができません。一部のものは，特殊な仕組みにより活性が抑えられていること，また，ほかの一部のものは，ある特殊な条件下でのみ活性化することが私たちの研究で明らかになっています。植物は動物とは大きく異なり，葉や根などの分化した組織由来の1個の細胞を培養して植物体を再生することができます。この性質は植物の増殖技術として広く利用されています。しかし，一方で培養の過程で突然変異が誘発されることがあり，大きな問題となっています。

　私たちは，イネで培養によって活性化されるレトロトランスポゾンを発見し，培養により誘発される変異の一因となっていることを明らかにしています。同様

なレトロトランスポゾンは，タバコや豆科のミヤコグサにも存在しており，植物に広く存在するものと推測されます。なぜ，このような制御を受けるトランスポゾンが植物に存在するのかは，解明されるべき課題です。イネは，我が国の主要作物であり，世界の人口の半数が利用する重要な作物です。そのため，イネのすべての遺伝子の構造を明らかにするゲノム解読プロジェクトが進められました。10か国が参加した国際共同プロジェクトであり，農業生物資源研究所が中心となり進められ，2004年に終了しています。次の問題として，イネゲノムに存在する3万2千種類の遺伝子の機能解明が残されています。トランスポゾンは，ゲノム上を動き遺伝子の中に転移すると遺伝子を破壊し機能を失わせます。対象とする遺伝子の破壊によりどのような変化がイネに起こるのかを調べることにより，その遺伝子の機能を明らかにすることができるのです。私たちは，先ほど紹介した培養によって活性化されるレトロトランスポゾンを利用して5万種類のイネ遺伝子破壊系統を作出し，種子として保管しています。これらの種子は，世界中の研究者の要望に応じて配布され，遺伝子の機能解明に利用されているのです。

読書案内

ゲノムが語る生命像 現代人のための最新・生命科学入門
本庶 佑 著，講談社ブルーバックス(2013)

ノーベル賞受賞者・本庶佑先生による生命科学の入門書で，マクリントックの発見を理解するために必要な遺伝学や分子生物学の基礎がわかりやすく解説されています。生命科学はめざましい進展を遂げており，私たちの体の中で起こっている生命活動の仕組みが次々と解明されるとともに，私たちの生活にも大きな影響を与えようとしています。最も身近な科学である生命科学の入門書として多くのみなさんに読んでいただきたいと思います。

「人間などというものは
　自然に比べたら
　新参者にすぎない。
　いつだってどこにおいても
　自然の方が先住者なのである」

自然を愛した生態学者
今西錦司
Imanishi Kinji

1902-1992

🎖 略 歴

1902 (明治 35) 年	京都で生まれる。 京都第一中学校，京都第三高等学校を経て京都帝国大学農学部農林生物学科に進学。卒業後，講師として大学に残る。
1933 (昭和 8) 年	カゲロウの幼虫の棲み分けを発見。この研究でその後，理学博士の学位を取得する。
1942 (昭和 17) 年	中国の大興安嶺を縦断する。
1948 (昭和 23) 年頃	ニホンザルの調査を始める。
1956 (昭和 31) 年	マナスルに登頂。
1958 (昭和 33) 年	ゴリラの研究のため，アフリカへ行く。
1965 (昭和 40) 年	京都大学を定年で退官。その後，岐阜大学学長などを務める。
1985 (昭和 60) 年	83 歳で，1,500 山登頂を達成。
1992 (平成 4) 年	90 歳で逝去。

サル学の始まりの日

宮崎県都井岬，3年前の敗戦によって国土は荒れ果てた。しかし，ここでは緑があたり一面に広がり，数十頭の馬がのんびりと草を食べている。その近くで1人の男が双眼鏡で馬を観察していた。長いあごがよく目立つその男の名は，今西錦司。今西は，ぽそっとつぶやいた。

「馬は群として見ると案外おもろないなぁ」

その帰り道，近くの茂みで何やらガソゴソと音がした。今西は首をかしげた。

「なんや？　こんなところに馬でもおるんやろか？」

覗いてみて驚いた。そこは斜面で，今西の気配で40〜50匹のサルが一斉に谷底目がけて駆け降りていくではないか。

「サルや」

そのとき，リーダーとおぼしき1匹のサルが立ち止まり，じっと今西を見た。堂々たる体格。意思の強そうな目。胸元の筋肉は盛り上がっている。やがてサルは，ゆっくりと今西に背を向けると，悠然と仲間の方に去っていった。今西の脳天に天の啓示のようにひらめくものがあった。

「まるでご先祖様に出会うたようや。人類学やるんやったら，サルをやらなあかん。よーし。俺はサルを始めるぞ」

敗戦によってしばらく方向を見失っていた今西が，サルに照準を当てる決心をした瞬間だった。それは世界最高水準といわれる日本のサル学が本格的に始まる日でもあった。1948（昭和23）年，今西錦司このとき46歳だった。

─✦ 山登りと探検 ✦─

地球上の生物はどうやって誕生し，そして進化してきたのか。ヨーロッパではキリスト教による長い迷信の時代をダーウィンが突き破りました。一方，日本では，棲み分けという独自の概念で生物学が見直されました。その第一人者である今西は，大きな自然の中で誕生や変化，そして進化をとらえようとした個性豊かな学者です。しかし，学者と言い切るのがちゅうちょされるほどに山登りと探検が好きな行動家でもありました。

　今西錦司は1902（明治35）年1月6日，京都で生まれた。実家は西陣でも指折りの織元で，生活は裕福だった。今西は長男として生まれ，何ひとつ不自由なく育った。

一家の大事な跡取りとして生まれた今西は，家族や奉公人から大切にされながらすくすくと育ちました。後に今西はさまざまな場面で類まれなリーダーシップを発揮するのですが，こうした育ちの良さと無縁ではないようです。

　今西は，名門・京都第一中学校に進学。一生涯続くことになる山との運命的な出会いは，入学してまもなくの頃，訪れた。
「あれ，僕が1番や」
　遠足で登った京都西北部の愛宕山で誰よりも早く頂上に着いたのは，今西だった。小学生の頃は虚弱体質で，たびたび医者の世話になっていたが，なぜか山登りだけは苦もなく1番になった。がぜん今西は体力に自信を持ち，登山が好きになった。

京都第三高等学校を経て，京都帝国大学に進むのですが，専攻先を農学部農林生物学科にした理由がふるっています。はじめは理学部にするつもりだったのに，農学部の方が登山をするのに都合が良いと土壇場で変更してしまったそうです。せっせと山登りに励む一方で，勉強も怠らず，卒業後はそのまま講師として大学に残り，研究生活に入りました。その頃結婚もして，長男も生まれます。下鴨に新居を構えた頃から今西の姿が近くを流れる鴨川でしばしば見受けられるようになりました。

　今西は川に入り，川底の石を拾い上げては裏返し，何やらつまみ取ると石を捨て，また別の石に手を伸ばす。これを際限なく続けている。

「これは，どないな種類やろうか？」

　ブツブツつぶやいては石を拾う今西を，道行く人はいぶかしげに見るが，今西は一向に気にする様子もない。今西がつまみ取っているもの，それは，小さなカゲロウの幼虫だった。彼はカゲロウの生態に大きな関心を持ったのである。

カゲロウを採取して家に持ち帰り，詳細に観察し，また採取に出かける。こうして数年間が過ぎたある日のことです。

「間違いない。彼らは互いに棲み分けておるんや」

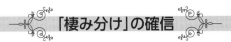

「棲み分け」の確信

　1933（昭和8）年，今西は，カゲロウの幼虫が4つの生活形態に分かれて棲み分けているのを確信した。棲み分け，それはまったく新しい概念だった。

　泥や細かい砂が多く流れのゆるい川底には，魚が襲ってきたときに地盤に潜り込んで逃げるものと，川底を離れて泳いで逃げるものの2種類がいる。

　一方，流れが急で小石や岩がゴロゴロしている川底では，魚が襲ってきたとき石の間や割れ目に隠れるものと，石から離れずその表面を滑りながら逃げるもの

生活形態	流れのゆるい川底		流れが急な川底	
棲み分け形態	タイプ A	タイプ B	タイプ C	タイプ D
	地盤に潜り込んで逃げる	川底を離れて泳いで逃げる	石の間や割れ目に隠れる	石の表面を滑りながら逃げる
幼虫の形態				

図9.1　4つの棲み分け形態（カゲロウの幼虫）

との2種類がいる。カゲロウの幼虫は4つの棲み分け形態を保つことで，互いに対立しながらも補い合う立場になって，1つの生活社会を形作っていると今西は結論した。

「この地上に生物の種類がいくらあろうとも，それらはみな，種ごとにそれぞれ自分に最も適した生活の場というものを持っている。言い換えれば，それらはこの地上を棲み分けている。進化とはその棲み分けの密度が高くなることである。このように，種と種は棲み分けを通して共存しているのである」

弱肉強食，適者生存というダーウィン流の進化論とはアプローチの異なる思想がここで語られています。この棲み分けは，今西の思想の底流に一貫して流れていました。このカゲロウ研究で彼は理学博士の学位も取得しました。

大興安嶺縦断と太平洋戦争の終結

趣味としての登山と学術研究，その両方の欲求を満たすもの，それは探検だった。今西は何かに取りつかれたように朝鮮や北千島，モンゴル，ミクロネシアな

どに次々と探検隊を組織して向かった。なかでも最大のプロジェクトは，中国北東部，大興安嶺の縦断だった。大興安嶺は草原と山が延々と続く広大な地域で，広さは北海道に匹敵する。これを縦断しようというのである。1942（昭和17）年，今西は21人の探検隊を率いて出発。40歳，まさに脂の乗りきった年齢である。ほとんど地図上で空白だった大興安嶺を，幾多の困難を乗り越え約2か月かけて縦断に成功。今西の名声はいやがうえにも高まった。

今西たちは純粋に学術的な探検と考えていました。しかし，当時日本と中国は戦争状態にあったことを考えれば，単純にそうも言えないでしょう。中国から見れば，明らかに自国の領土を勝手に調べられているのですから反発する感情もあったはずです。難しい問題ですね。

1945（昭和20）年，太平洋戦争終結。当時，蒙古善隣協会西北研究所の所長を務めていた今西は，敗戦の玉音放送を大陸で聞いた。侵略者は追い払われる運命にある。今西とて例外ではない。命からがら日本に帰り着いたのは，翌年の6月だった。

「このままかごの鳥で暮らしていたら，もう一度海外に出られるときが来ても飛ぶ力がなくなってしまう。いざというときにすぐ飛び出せるよう，国内にいてもできるだけ遠くへ出かける癖をつけておかねば」

戦後まもなく九州の都井岬で今西が馬を調査していたのは，こうした背景があったのである。

人類の起源を探りたい

ボスザルは悠然と仲間の方に去っていった。今西の頭に天の啓示のようにひらめくものがあった。

「まるでご先祖様に出会うたようや。人類学やるんやったら，こらあサルをやらなあかん。よーし。俺はサルを始めるぞ」

こうと決めたら今西の行動は素早いものです。早速，馬の調査に同行していた2人の学生を連れ，近くの幸島に向かいました。ここにはニホンザルが多数生息していたからです。

　古くから土地に住む老人の話が役に立った。老人は「サルにサツマイモをまいてやったら，実によく懐いた」と語った。今西は早速実行に移すことにした。

　案の定，サルたちは芋を食べに来た。徐々に餌場を海辺にずらしていくと，とうとう砂浜にサルの群れがごっそり姿を現すようになったのである。これによって，群れとしての構造をじっくり観察することが可能となった。群れとしての棲み分けや個体識別法についての研究は，大分県高崎山を中心に盛んとなり，日本のサル学は飛躍的な進歩を遂げた。

サル学が活気を帯びて次々と新しい成果を上げていたとき，肝心の今西は日本にいませんでした。いったいどこにいたのでしょう。実はその頃，彼の夢はすでにはるか遠くヒマラヤにまで飛んでいたのです。
今西は若いときからずっと抱き続けてきた夢，ヒマラヤに登ることを新たな目標に定めます。あちこちを駆け回り，ついにその夢が実現するときがきました。目指す山は，標高8,163メートルの巨峰マナスルです。

ヒマラヤからアフリカへ

　1952（昭和27）年，今西は本体の登山ルートを探索するマナスル偵察隊長として4人の隊員を率いて日本を出発。ネパールのカトマンズ側から入り，念願のヒマラヤ登山を果たした。今西このとき50歳だった。偵察隊の帰国から3年後の1956（昭和31）年，第三次登山隊がついにマナスルの頂上に到達した。その様子を撮影した記録映画「マナスルに立つ」は，公開されるや否や興行記録を塗り替え

図9.2　ヒマヤラ山脈に属するマナスル[1]

る記録的大ヒットとなった。

念願のヒマラヤ登山を果たした今西。しばし休息のときは訪れるのでしょうか。とんでもありません。すでに今西の目は雪に覆われたヒマラヤから，熱帯の地アフリカに注がれていたのです。

　今西の興味はサルだけでなく，その仲間であるチンパンジーやオランウータンにも広がっていった。なかでも研究対象としたのはゴリラだった。

　ゴリラの生息地はアフリカである。1958（昭和33）年2月，今西はアフリカに降り立った。目指すはマウンテンゴリラ。当時まだ誰もマウンテンゴリラの研究に手をつけていなかった。マウンテンゴリラの研究者といえばアメリカの女性科学者ダイアン・フォッシーが有名である。彼女はマウンテンゴリラと寝食をともにし，彼らを保護するために戦い，その戦いの中で命を落とした。しかし，彼女が初めてアフリカを訪れマウンテンゴリラと対面したのは1963（昭和38）年，今西たちの5年後のことだった。

残念ながらマウンテンゴリラは餌付けが成功せず，今西は研究を断念します。しかし，世界を飛び歩いたその足は，歳をとっても衰えを見せることはありませんでした。

1,500山登頂達成

　1965（昭和40）年，京都大学の教授を定年で退官。その後は岐阜大学の学長などを務めたが，登山との縁は決して途切れなかった。83歳のとき，今西はとんでもない新記録を作った。登った山の数1,500山を達成したのである。晩年は若者に後ろを押してもらいながらの登山だったが，いつも意気盛んだった。

　老衰のため入院した病院は，鴨川べりにあった。若き日，この川で夢中になってカゲロウの幼虫を集め，棲み分けという新しい概念を誕生させた場所である。1992（平成4）年6月15日，今西錦司は静かに息を引き取った。90歳だった。

「窮屈なことは嫌や」と，今西はいつもいっていたそうです。登山で山頂に立ち，視界が一挙に開ける世界。今西の学問はそれを求め続けたのかもしれません。それはまた，この地上に生きるすべての自然を愛することでもありました。今西はこんな言葉を残しています。

「人間などというものは自然に比べたら新参者にすぎない。いつだってどこにおいても自然の方が先住者なのである」

広島フィールドミュージアム 代表

金井塚 務

今西錦司が切り開いた日本のサル学は，現在，新たな広がりを見せています。広島フィールドミュージアムの金井塚先生は，広島の南西に位置する宮島でニホンザルの生態について入念な現地調査を実施。今西とは別の視点からニホンザルの研究を行っていました。

（金井塚先生）「今西先生の時代は，人類学が主流でした。もう1つ，動物社会学という位置づけをしていましたが，私たちは逆に社会学的な現象を，生態学として解き明かそうと考えたのです。ですから今西先生は，人類の起源を解き明かそうと思ってその前段階のサルをイメージしたわけですが，私たちは，サルをサルとして，ニホンザルの歴史，さらにはサル類(霊長類)の進化も含めてニホンザルっていったい何だということをまず理解しなければいけないだろうと考えたわけです。

　サルはヒトに似ていますね。だからついつい人の行動に置き換えて記述したりします。それと区別するのが大変難しいのです。サルはサルであり，サルが何したかということを常に考えなければいけないわけで，サルが人間と同じようなことをしたから，人間でいえばこれだろうなという記述をしてはいけないのです。

　よく，階級社会のようにボスがいるなどといわれていますが，それも1つの誤りです。人間社会だとそうだからサルでもそうなんだと考えてしまう。もう1つ，それは餌付けという非常に限られた空間の中で，限られた餌のあるところでの観察事例だった。ところが，そういうものをはずして野生状態で，落ち着いているところで見てみると，全然そういう要素が見えてこないようなものももちろんあるわけです。ですから場の状況と，それから人間に似てる部分を，どういつも注意して心がけて擬人化を避けていくか，それが非常に難しいのです」

撮影：金井塚務氏

図9.3　ニホンザルのオス（左）とメス（右）

リップスマック（口を突き出して小刻みに動かす）をして，メスをなだめながらも，全身の毛を逆立て，尾を反り返らせて攻撃性を発揮してメスに接近するオスと，悲鳴を上げながらもそこに留まろうとするメス。ニホンザルの典型的な性行動にみられる接近行動。

 サルの生態を観察するなかで，金井塚先生はサルの行動を理解する重要なポイントを発見しました。それはオスザルとメスザルとの性行動だといいます。

（金井塚先生）「交尾をするためには，オスとメスが仲良くしなければいけません。その仲良くする方法が結構難しいのです。というのは，みんな性的に興奮状態にありますから，ちょっとしたことでけんかが起こる。性的交渉は基本的に群れの中で，オスとメスが出会って接近しますよね。オスがメスに接近する際に怖がられないように，しかもほかのサルに対しては威張ってオスらしさを強調しなければならない。そういう状況にありますから，オスは独特な態度でメスには恐怖感を与えないように上手に迫っていく必要あります。

接近すると今度はずっと一緒にいなければなりません。いろいろな邪魔が入ったりしますが，一緒にいることをずっと維持していかなければなりません。そのときにオスはやはり辛抱強く我慢するのです。極力攻撃性を抑えて，メスが逃げないようにする。例えば，メスが興奮してオスをどついたり蹴飛ばしたり

したとしても，じっと耐える。その挙げ句に交尾があって別れる。だから厳密に言えば，性行動の中心というのは，この交尾だけなのです。そこに至る接近，近接の維持という行動は，普段ある行動が性的衝動によって特殊な文脈で現れたものなのです。群れ生活をしているからそんなことは当たり前かのように見えますが，よく見てみると普段はオスとメスってそんなに出会ってないんですよ。オスはオス，メスはメスという形でいるのが大体のパターンなんですが，交尾のときだけはどうしても出会わなければいけませんからね。一緒にいることをどうやって維持してやっていくかというところの心理的な葛藤，それが表情，行動に出てきて面白い。関係性がそこに凝集されるから，性行動を見るということは，サルの社会生活を解き明かすうえで非常に大きな問題になっているということになります」

　現在，宮島の行動観察の対象となった個体群は，愛知県犬山市の日本モンキーセンターへ移送されて飼育されており，宮島での観察は終了しています。

読書案内

与えるサルと食べるシカ　つながりの生態学
辻 大和 著，地人書館(2020)

近年の大学での研究は，必ず数年で結果の出そうなテーマに偏りがちで，泥臭いフィールドワークに基づく研究がしにくくなっています。そんな環境のなかで，著者は金華山島という絶好のフィールドに恵まれ，そこに暮らすニホンザルの暮らしぶりを食物という視点から解き明かしていく様子が，研究者の活動を含めて淡々と語られています。

　今西錦司

「群れを作って飛んでいる彼らを

　見ているうちに，

　私は次第に熱い思いが

　こみ上げてきた。

　野生の鳥が，

　これほどまでに信頼に満ちた絆を

　保つことができるとは……」

動物行動学の父
コンラート・ローレンツ
1903-1989

Konrad Lorenz

 略歴

1903 年	オーストリア・アルテンブルクで生まれる。
1922 年	医学を学ぶためニューヨークのコロンビア大学に入学するが，途中で勉強を放り出し，オーストリアへ帰国する。その後，ウィーン大学で医学，哲学，動物学を学ぶ。この頃，コクマルガラスの観察をするようになる。
1927 年	論文「コクマルガラスにおける観察」が『鳥類学雑誌』に掲載される。マルガレーテと結婚する。
1936 年	ハイイロガンのマルティナが生まれる。母親代わりとなる。
1941 年	第二次世界大戦中，ドイツ軍の軍医として徴兵される。その後，ソ連軍の捕虜となり，収容所で過ごす。
1948 年	アルテンブルクに帰還。その後，マックス・プランク研究所に招かれる。
1973 年	ノーベル賞を受賞する。
1989 年	85 歳で逝去。

ノーベル生理学・医学賞の受賞

　1973年12月10日，70歳のコンラート・ローレンツは，ノーベル賞授賞式の会場にいた。彼に与えられたのは，動物行動学という新しい学問を切り開いた功績に対する賞だった。特徴の白いあごひげでタキシードに身を包んだローレンツだったが，その姿は彼を知る知人や家族たちにはなじみのない格好だった。というのも，厚手のズボンにゴム長靴，手には餌の入ったバケツ，口には愛用のパイプ，頭には毛糸の帽子，そして周りにはたくさんの鳥や動物たち。これがローレンツのいつものスタイルだったからである。

　会場では約50年連れ添った妻のマルガレーテが，夫を優しく見守っていた。2人が夫婦として過ごした50年は，動物行動学という学問が生まれ，育った歳月でもあった。

『ソロモンの指環』というローレンツが動物の行動について書いた本があります。この本にはさまざまな動物を観察したエピソードが詳しく書かれていてとても面白いのですが，何より感動するのは，ローレンツと動物たちの深い結びつきです。彼の本からは研究という目的を超えた動物に対する心からの愛情を強く感じることができます。

しかし，この動物学者の名前が日本でも知られるようになったのは，1960年代になってからのことで，割と最近です。動物の行動を観察することに生涯を捧げたローレンツですが，彼の姿を知れば知るほど，もっと早く日本でも紹介されるべき人だったように思えます。

動物たちと生きたローレンツ。彼はいったいどんな人物だったのでしょう。では，早速ローレンツの世界に行ってみましょう。

裕福な少年時代

コンラート・ローレンツは1903年11月7日，オーストリア・ウィーン近くのアルテンブルクで生まれた。『美しく青きドナウ』で知られるドナウ川の近くである。父親のアドルフは裕福な外科医。ローレンツは，広大な屋敷で恵まれた少年時代を過ごした。

父親のアドルフは，優れた医者でしたが，ユーモアの才能もなかなかのものでした。80歳になったとき，「長生きの秘訣は？」と聞かれて，こう答えたそうです。

「生きるために重要なのは，両親を注意深く選ぶことだ。あとは，何事もほどほどにすることだね」

ローレンツは幼い頃から，鳥や魚，動物に親しんだ。広大な屋敷にはたくさんの木々が生い茂り，近くには澄んだ川が流れ，そこに生息する小動物たちは少年の好奇心を刺激してやまなかったからである。

ローレンツの心をとらえたもう1つの宝物。それは幼なじみの少女マルガレーテでした。この少女は，後にローレンツと結婚し，彼の研究を生涯支えてくれることになります。

父親は，ローレンツを自分と同じ医者にしようと，彼が19歳になる年，ニューヨークのコロンビア大学へ海外留学に送り出した。しかし，幼い頃から動物の魅力に取りつかれていたローレンツは，アメリカでの勉強を放り出し，故郷アルテンブルクに戻って動物たちとの生活を始めた。

コクマルガラスとの運命の出会い

ある日ローレンツは，近所のペットショップで見かけた1羽のオス鳥のヒナを飼います。この鳥との出会いが後の運命を大きく変えることになるとは，当のローレンツでさえまったく予期していませんでした。

　その鳥は，コクマルガラス。スズメ目カラス科の一種で，くちばしが小さく，ハトぐらいの大きさ。体に白い部分のある淡色型と，全身が黒い暗色型がいる。畑や水田などの開けた環境で生息し，日本にも冬鳥として寒い時期に渡来する。

図10.1　コクマルガラス（スズメ目カラス科）[1]

ローレンツは，ヒナが大きくなったら離してやるつもりでした。ところがこのコクマルガラスは，ローレンツを自分の親であると思ったのか，片時も離れなくなってしまったのです。ローレンツの後を追いかけて，部屋から部屋へ飛んで回る。散歩するときなど，どこへ行くにもついてくる。ひとりぼっちにすると悲しそうな声で"チョックチョック"と鳴く。そこでコクマルガラスの名は「チョック」と名づけられました。

文字どおり寝食をともにするなかで，ローレンツはチョックとその仲間のコクマルガラスを観察した。飛び方，餌の取り方，仲間の見分け方，求愛の仕方など，ローレンツにとって毎日が新鮮な驚きの連続だった。ローレンツは次のように回想している。

「おりという境界がない理想的な環境で，彼らの行動を観察することができた。動物行動学において，チョックと過ごした1926年の夏ほど多くのものを得られた時間はなかった」

未来の動物学者の誕生

　1926年のある日，マルガレーテは，日頃からローレンツがつけていたチョックの観察日記をタイプでまとめ，ドイツの動物学者に送った。ローレンツ自身は，研究内容を公表して名声を得るということにまったく関心がなかったからである。この記録はただちに出版され，ここに初めて未来の動物学者・ローレンツが誕生した。

　その頃2人は結婚し，アルテンブルクの屋敷に住むのですが，なんといってもそれからが大変です。ローレンツが飼う動物は次から次へと増え，しかも放し飼いで自由に振る舞うのですから，家の中はノアの箱舟がひっくり返ったような騒ぎでした。
　なにしろ庭先でお茶を飲んでいると，オウムたちが食器をひっくり返し，書斎のじゅうたんはカモの集団にふんを撒き散らかされ，ローレンツが書いた原稿もカラスがくわえてどこかへ持っていってしまいます。
　子どもが生まれたとき，マルガレーテはついに決心しておりを作りました。といっても，動物を入れるためではなく，鳥たちにつつかれたりしないように子どもをおりの中で遊ばせていたのです。

　その後，ウィーンでドイツ鳥類学会が開かれ，ローレンツと一緒に生活するワタリガラスの記録映画が上映された。これを見た学者たちは驚いた。飼い慣らさ

れ，訓練されたワタリガラスが高い知性を発揮するのをまざまざと見せられたからである。

「ワタリガラスは人間の目をつつくようなことはしない」とローレンツは言います。
実際にローレンツはみんなの前で，ワタリガラスのくちばしに目を近づけてみせました。周りの人はハラハラしてしまいますが，ワタリガラスは目をつついたりすることなく，むしろ顔を背けてしまったのです。信頼関係ができていれば，鳥はむやみに相手を傷つけたりしないということをローレンツは主張しました。

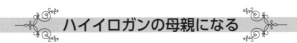

ハイイロガンの母親になる

1935年，チョックと並ぶローレンツの生涯の友が生まれた。ハイイロガンのマルティナである。ガンは日本で雁とも呼ばれる渡り鳥。ローレンツとマルティナはその後，切っても切れない関係となる。

図10.2　ハイイロガン[2]

みなさんは「刷り込み」という，動物行動学で使われる専門用語を聞いたことはありませんか？　ヒナは生まれたとき，自分がどんな種族の動物なのか知りません。そのため，最初に目にし，保護してくれたものを親と思い込んでしまいます。これが刷り込みです。こうしてローレンツは，マルティナの母親代わりになってしまいました。

　卵をかえす孵卵器の中で10個のハイイロガンの卵がかえった。覗き込んでいるローレンツを，1羽のメスのヒナが頭をかしげ，大きな目を開けて見つめている。そしてローレンツが何かを話した途端，そのヒナはそれに応えるかのように首を伸ばし，小さな声で鳴いた。

ローレンツは，母親代わりにしようと思っていたガチョウのそばにヒナを置いて，その場を離れようとしました。するとヒナは，ガチョウには目もくれず，ローレンツのもとへ近づいてくるではありませんか。困ったローレンツは，何度もヒナから離れようとしますが，ヒナはどうしても離れようとしませんでした。

「私は，悲しそうに鳴きながら追いかけてくるヒナの声を耳にした。ヒナはまだ満足に歩くこともままならない。にも関わらず，よろけたりつまずいたりしながら一生懸命私を追いかけてくる。そんな健気な姿を目にしてその場から立ち去ることのできる人間など，この世にいるものだろうか？　彼女は私に母親になってくれと心から願っているのだ」

こうしてローレンツは，マルティナと名づけたハイイロガンの母親になってしまいました。しかし，それからが大変です。マルティナはいっときも離れませんし，ローレンツはマルティナと同じ生活をしなくてはなりません。
ローレンツは，マルティナと仲間のハイイロガンを連れて散歩に行き，餌を与え，川で一緒に泳ぎます。真昼間から川で鳥たちと泳いでいる男。その様子を目にした通行人たちは，好奇の目でローレンツを見ていました。

　マルティナたちと生活しながら，ローレンツは貴重な発見をした。

　例えば，ヒナがどのように母鳥を認識するかの実験である。ローレンツは最初，車輪がついた鳥の模型を近づけてみたが何の反応も示さなかった。しかし，模型からローレンツの声が出るように細工をすると，ヒナたちは模型の後をついて，歩き出したのである。ローレンツはマルティナの行動を観察し，スケッチにまとめた。そこには威嚇，恐れ，求愛，喜びといった様子が綿密に描かれていた。

　おりの中ではなく，自然な環境で生活をともにしながらの観察。これによって，今まで誰も見ることのできなかった動物たちの生態を知ることができたのである。ローレンツとマルティナは完全に母親と子どもだった。書斎で書き物をしているとき，マルティナは安心した様子で眠っていた。

「彼女は，ときどき声を出して『私はここよ。あなたはどこ？』と尋ねてくる。そのたびに私は仕事の手を休めて，彼女の問いかけに答えてやらなければならなかった。私の声を聞くと，彼女は満足そうな表情を浮かべ，眠りにつく。彼女が示すこのような愛情表現に感動しない人がいたらお目にかかってみたい。というより，そんな人にはお目にかかってみたくもない」

マルティナと過ごした数年。それは学会での論争に煩わされることもなく，自由に動物たちと生活し，彼らの心を知ることのできた至福のときでもありました。

しかし，やがてヨーロッパを第二次世界大戦の嵐が襲います。ローレンツも招集され，戦地へ赴きました。戦争，そして戦後，ローレンツと動物たちは，どんな運命をたどることになるのでしょうか。

おりの中の生活

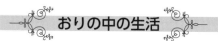

　1941年からの7年間は，ローレンツにとって最もつらい時期だった。招集されたローレンツは，ドイツ軍の軍医として最前線へ送られ，負傷してソビエト連邦軍に捕らえられたのである。捕虜収容所に閉じ込められた彼は，おりの中に入れられた動物たちの環境を身をもって感じていた。

　1948年になり，ようやくローレンツは解放され，故郷アルテンブルクへ戻った。

はじめに紹介した『ソロモンの指環』は，この時期に書かれました。専門的な学術書ではなく，どちらかというと一般向けに書かれた啓発書です。動物の行動についてローレンツ自身，軽い気持ちで書いた本ですが，これによって彼の存在が世界に知られるようになったのですから，世の中，面白いものですね。

マックス・プランク研究所

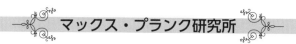

　ローレンツはその後，ドイツのマックス・プランク研究所に招かれ，動物行動学の研究を進めた。研究のスケールも広がり，有能な研究者も多数彼のもとへ集まった。

学会では，当時２つの意見が論争を巻き起こしていました。動物の行動は学習によって培われるものとするアメリカの学者と，本能が大きな要因であるとするヨーロッパの学者たちの意見です。しかし，ローレンツは，そんなことよりもっと重要な事実に関心を寄せていました。

「オオカミとハト。このどちらが残酷な生き物だろうか？」と，ローレンツは問いかける。多くの人は「ハトは平和の象徴で，オオカミは凶暴な生き物」と答えた。しかし，ローレンツの答えは違っていた。

「仲間同士で戦うときを考えてみよう。ハトは相手を殺せるような強力な武器を持っていない。そのため，殺すことを抑制する力が育っていないのだ。だから２羽のハトが憎しみ合うと，相手の毛をすべてむしりとり，血だらけにして殺すまで戦いをやめない。

　一方，オオカミは，相手を一撃で倒せる鋭い牙を持っている。オオカミ同士が戦うと相手が攻撃力をなくした途端，それ以上かみついたりすることはない。殺すことを自ら抑制するのだ」

もし，仲間を殺せる強力な武器を持った動物にこの抑制力が育っていなかったら，その種族は仲間同士の殺し合いで，とうの昔に絶滅していたに違いありません。オオカミの例は，そのことを教えてくれます。

　だが，「武器の強力さに見合った抑制力を育てていない動物が地球上に１種類いる」と，ローレンツは言う。「それは，人間である」と。

　原爆や核ミサイルが登場するはるか以前の1935年に，彼は次のように語っている。

　「いつかきっと人類は，相手を瞬時にして壊滅し得る武器を持つ日がやって来る。そのとき，我々はどのような行動をとるだろうか？　ハトのようにか，それとも

オオカミのようにか？　人類の運命はこの問いへの答えにかかっている」

故郷アルテンブルクへ

　1973年，ノーベル賞を受賞したローレンツは，懐かしの故郷アルテンブルクへ戻った。そこには昔と変わらない深い森と澄んだ川，多くの生き物，そして最愛の妻マルガレーテとの静かな生活が待っていた。一緒に過ごしたチョックやマルティナ，そしてたくさんの動物たち。今はもういない彼らの姿をローレンツは懐かしく思い出していた。

　そして1986年，妻のマルガレーテが亡くなり，その3年後の1989年2月27日，動物学者コンラート・ローレンツは，眠るように息を引き取った。すべての生き物を愛し続けた85年の生涯だった。

　心から動物たちを愛し，ともに生きたローレンツ。彼が動物たちの観察を始めたのは，学術的な研究が目的ではなかったようです。彼がこの世に生まれたとき，周りはドナウ川をはじめとした自然豊かな環境で，多くの生き物が住んでいました。彼らと一緒に川で泳いで，森で休んでいるとき，ローレンツは母親の胸に抱かれているような安堵感に包まれていたのかもしれませんね。
　それにしても，ローレンツは本当に動物たちを愛した学者でした。空を飛ぶ鳥たちを見つめながら，彼はこんなことを口にしていたそうです。

「群れを作って飛んでいる彼らを見ているうちに，私は次第に熱い思いがこみ上げてきた。野生の鳥が，これほどまで信頼に満ちた絆を保つことができるとは……。これを見たときの気持ちは，楽園から追い出された人間が，少しだけ中に入ることを許されたときに味わえるような幸福感ではないだろうか」

帝京大学先端総合研究機構 教授
岡ノ谷 一夫

　小鳥の一種ジュウシマツは，求愛の際，オスがメスに向かって歌をうたいます。そこには人間の話す言葉のように「歌文法」という概念で記述できる構造があるそうです。

　帝京大学先端総合研究機構教授の岡ノ谷先生は，ジュウシマツの歌を記録・分析し，その中に秘められた規則（歌文法）を研究しています。

（岡ノ谷先生）「我々の言葉というのは，音がつながって単語になって，単語が並んで文章になって，という階層的な構造がありますよね。小鳥の一種，ジュウシマツも同じように，いくつかの音が連なって，単語のようなものを作り，それらがまたいろいろな順番で並んで，歌を作ります。小鳥の歌には求愛の意味しかありませんが，いろいろな順番でさえずることで，求愛の力がより強くなります」

　図10.3は，とあるジュウシマツの歌声を，コンピュータで解析したものです。上に伸びているのが高い音，色の濃い部分が大きい音を示しています。それぞれのパターンに，アルファベットを割り当ててみると，音の規則性が浮かび上がってきました。例えば，歌がaから始まると，次はb。cの後には必ずdとeが現れるといった文法のようなものです。ジュウシマツの個体によって，歌い方にも複雑なものや単純なものがあると，岡ノ谷先生は言います。

（岡ノ谷先生）「右がジュウシマツです。左はジュウシマツの野生種で，コシジロキンパラといいます（図10.4参照）。ペットとなって生きていたジュウシマツは，複雑な歌をうたっても天敵に捕食される危険がないわけですね。それでメスに，複雑な歌を好む傾向がちょっとでもあれば，その方向に進化するのです。野外では，天敵がいるから複雑な歌をうたう余裕がなく，歌は単純なまま。ペット化されたところで複雑さが出てきたのではないかと思います」

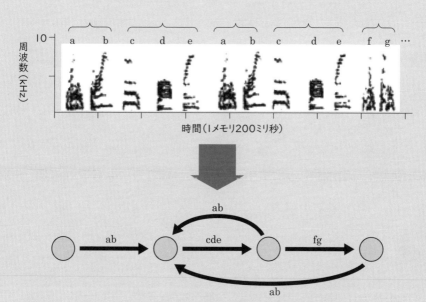

図10.3　ジュウシマツの音声データ解析

撮影：池渕万季氏

図10.4　コシジロキンパラ（左）とジュウシマツ（右）

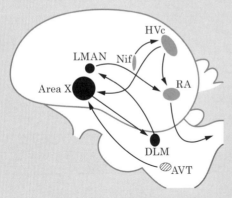

図10.5　ジュウシマツの脳の模式図

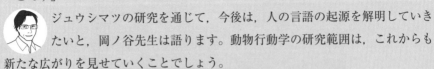　図10.5は，複雑な歌がジュウシマツの脳の中で，どのように作られるかを示したものです。グレーの丸で示されているのが歌の生成から発声までを行う神経回路で，黒い丸は学習に関わる働きを担っています。

　岡ノ谷先生は，脳の仕組みを調べるうちにある仮説を考えました。メスがいないときでも，オスは求愛の歌をうたうときがあるが，それはジュウシマツが歌の練習をしているのではないかというものです。

（岡ノ谷先生）「1羽でうたうときと，メスに向かってうたうときで，使われる脳の部位が違うのですよ。それがわかったので，これは練習であろうと考えたわけです。動物の行動観察だけからでは，どうしてもわからなかったことが，そのように脳の研究まで踏み込むことによってわかるようになってきたということです」

　ジュウシマツの研究を通じて，今後は，人の言語の起源を解明していきたいと，岡ノ谷先生は語ります。動物行動学の研究範囲は，これからも新たな広がりを見せていくことでしょう。

読書案内

言葉はなぜ生まれたのか

岡ノ谷一夫 著，文藝春秋（2010）

この研究で説明した動物の鳴き声研究がさらに拡張され，人の言葉の起源に迫る研究が紹介されています。小中学生向けに書かれた本で，イラストも豊富です。

「つながり」の進化生物学　はじまりは，歌だった

岡ノ谷一夫 著　朝日出版社（2013）

この研究をきっかけに，さまざまな動物の鳴き声を研究するようになりました。そこからさらに，人間の感情や意識についての研究を進めてきました。高校生向けの講義から生まれた本です。

「科学は私にとって
人生を解釈する材料を
与えてくれる。
それは事実と経験，
実験に基づいているからだ」

DNA らせん構造解明で大きな役割を果たした女性科学者

ロザリンド・フランクリン

1920-1958

Rosalind Franklin

 略 歴

1920 年	イギリス・ロンドンで生まれる。
1938 年	ケンブリッジ大学入学。
1947 年	パリの研究所に職を得て，フランスに渡る。
1951 年	ロンドン大学キングス・カレッジにあるジョン・ランドル研究所入所。 ウィルキンズのもとで DNA の X 線結晶学的研究に取り組む。2 種類ある DNA の型がはっきり区別できる写真の撮影に成功。ワトソンとクリックの二重らせん構造の発見に寄与する。
1953 年	ワトソンとクリックが DNA 二重らせん構造の模型を発表。 ロンドン大学バークベック・カレッジ研究所に移る。 たばこの葉に含まれるタバコモザイクウイルスを構成する RNA（リボ核酸）について研究。
1958 年	37 歳で逝去。

ウィルキンズの悪事

　1953年1月30日，ロザリンド・フランクリンは，いつものようにロンドン大学キングス・カレッジの研究室で実験台の上にX線写真を並べ，検討していた。そのとき誰かがノックもせずに部屋に入ってきた。入ってきたのは，ひょろりと背の高い25歳のアメリカ人研究者ジェームス・ワトソンだった。彼は，手に原稿のようなものを持っていた。ロザリンドは，この男が嫌いだった。いつも何か秘密をかぎまわっているような目つきや，人を見下すような横柄な態度も我慢ならなかった。

「何かご用？」

　ワトソンは手にした原稿のことで話し始めたが，ロザリンドにはただのおしゃべりにしか思えず，しんらつに対応した。するとワトソンは，突然挑発するように言った。

「あなたは，X線を解読する能力を持っていないようですね」

　もう我慢も限界だった。こんな失礼な男とこれ以上，口も聞きたくない。

「出ていきなさい。今すぐに！」

　部屋を追い出されたワトソンは，廊下で同じ研究所のモーリス・ウィルキンズと出くわした。2人はしばらくの間，ロザリンドの悪口を言い合い，ため息をついた。ウィルキンズは，ワトソンにちょっと待ってくれるように告げると，隣の部屋に行き，1枚のX線写真のコピーを持って戻ってきた。

「これは彼女が撮ったウエットB型のX線写真だ。こっそりコピーしておいたんだ」

　それは，中央に黒い十字架が浮かび上がっている極めて鮮明なX線写真だった。写真を手にしたワトソンは，思わず息をのんだ。そして，心の中で勝利の雄叫びを上げた。

「これだ。これこそ欲しかったものだ。DNAらせんの形と大きさがこれでわかる。我々の勝ちだ！」

　苦労して撮影した自分のX線写真が，許可なく盗み見られたことなどまるで知

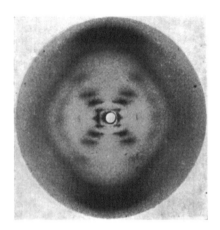

図11.1　ロザリンド・フランクリンの研究室で撮影したX線写真(photo51) [1]

らず，ロザリンドは仕事を続けていた。この日の出来事がロザリンドとワトソンたちの運命を大きく変えることになるとは，彼女には思いもよらなかった。ロザリンド，このとき32歳だった。

DNAの正式な名称は，「デオキシリボ核酸」といいます。遺伝子の本体として最も大きな注目を集めている物質です。このDNAの構造を解明した功績によって，ジェームス・ワトソン，フランシス・クリック，モーリス・ウィルキンズの3人がノーベル生理学・医学賞を受賞し，華やかな栄光に包まれました。しかし，その陰には意外なドラマが隠されていたのです。陰のドラマの主人公は，若くて優れた女性科学者でした。ここではその科学者，ロザリンド・フランクリンに焦点を当てます。

とびきり頭のいいお嬢様

ロザリンド・フランクリンは1920年7月25日，ロンドンで生まれた。父親は裕福なユダヤ人銀行家で，子どもは5人，ロザリンドは2番目の子で長女だった。

両親の一族は，政治や経済界で活躍した大物がたくさんいるという掛け値なしの上流階級でした。子ども時代のロザリンドは，何ひとつ不自由のないお嬢様として育てられたのです。

　ロザリンドは「怖いほど頭がいい子」とみんなに言われた。その反面，一度言い出したら後に引かない強情さ，気性の激しさなどは，母親をしばしば手こずらせた。中等教育は上流階級のお嬢様たちが通う名門セントポール女学院を選んだ。ここで科学への興味を開花させたロザリンドは，16歳になったとき，将来は科学者としての道を歩もうと決心した。そして1938年，ケンブリッジ大学を受験し，合格した。

父親は反対でした。職業をもつより，上流階級の娘らしく良き家庭を作り，ボランティア活動でもして社会に貢献してほしかったのです。しかし，ロザリンドは，意志を押し通し，最後には父親が折れて念願の物理学の道に進んだのです。

　大学生のロザリンドは小柄な美人で，特にキラキラ輝く瞳は魅力的だった。スポーツにも勉強にも打ち込み，いつも活発だった。勉強すること自体が楽しく，まるで水を得た魚のように生き生きとしていた。

しかし，入学した翌年には第二次世界大戦が始まり，戦争のさなかに卒業します。その後，彼女が選んだのは，石炭の研究でした。

石炭の研究，そしてフランスへ

　1942年，ロザリンドは，イギリス石炭利用研究協会に籍を置き，見事な実験で石炭が熱せられて黒鉛になる過程を研究した。この研究は，現在でもしばしば引用されるほど優れた内容だった。

やがて終戦を迎えます。ロザリンドは，次の職場を求めてフランスの友人にこんなユーモラスな手紙を書きました。

「物理化学の知識はわずかですが，石炭について詳しい物理化学者の手を借りたいとお悩みの方をご存知でしたら，どうぞご連絡くださいませ」

　ロザリンドは，1947年，パリの研究所に職を得て，フランスに渡った。26歳のときである。それからの3年間は，ロザリンドにとって人生で一番楽しいときだった。

心を許せる友人もできました。興味を持ったX線結晶学について真剣に議論できる仲間も見つかりました。何よりうれしかったのは，大陸を自由に旅行できることでした。彼女はしばしば山に登り，そこでは思い切り心を解放することができました。夢のように楽しかった3年が過ぎ，彼女は再びイギリスに戻るのですが，もう二度とこのように心を解放できる時間は訪れませんでした。

キングス・カレッジでの対立

　1951年，ロザリンドはロンドン大学キングス・カレッジにあるジョン・ランドル研究所に入った。X線結晶学を活用して，生体細胞，特にDNAを研究するというテーマにひかれたからである。しかし，入った直後から不幸な歯車が回り始めた。

「私は，ランドル所長から『DNA研究の一切を任せる』といわれて入所したはずです」

「いや，君は私の研究のために実験データを作ってくれる技術者としてここに来たはずだよ」

所長の曖昧な指示のため，以前からDNA研究をしていた副所長格のモーリス・ウィルキンズとロザリンドは衝突します。誇り高いロザリンドが他人の下働きなどするはずがありません。大学院生の助手を使ってすべてを自分がやると宣言します。

2人の対立は日を追って激しくなり，ついには同じ研究室なのに，互いに口もきかない状態になった。ウィルキンズは，陰で彼女をこうののしった。
「あのいまいましいダークレディめ」

ロザリンドは，ウィルキンズの陰口など無視してDNAの研究に本腰を入れます。ではこのとき，DNA研究はどこまで進んでいたのでしょうか？

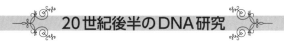

20世紀後半のDNA研究

　20世紀前半は，一般相対性理論や量子力学，核分裂など，物理学の研究が盛んだった。しかし，後半になると，遺伝はどのようにして次の世代に受け継がれていくのかという生物学における遺伝子の解明が注目されるようになった。

　初めは，タンパク質が遺伝情報を運んでいるのではないかと考えられたが，やがていくつかの証拠がDNA・デオキシリボ核酸の存在を浮かび上がらせた。しかし，当時はまだDNAの構造は解明されておらず，構造がわからなければ一歩も先へは進めなかった。

　ロザリンドが取り組もうとしたのは，X線結晶学を使ってDNAの構造を明らかにすることだった。X線結晶学とは，結晶にX線を照射し，結晶中の原子の間を通り抜けて回折したX線を写真に撮り，そこに映し出された点の濃度を解析す

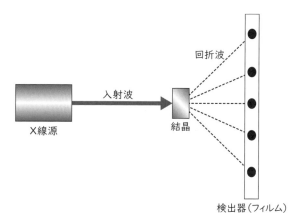

図11.2　X線結晶学

ることで結晶の構造を知る方法である。

　ロザリンドのやり方は見事だった。糸くずのようなDNA繊維をうまくレンズの下に並べる方法を工夫し，これまでより鮮明な写真を撮ることに成功した。さらに，塩水を満たした密閉容器に繊維を置き，湿度と繊維の様子の関係を調べた。そして，湿度が高くなるほど結晶が安定化し，きれいな写真が撮れることもわかった。

　まもなくロザリンドは，DNAには水分の吸収の違いによってドライA型とウエットB型という2つの型があるのを発見した。これは大発見だった。ほかの研究者は，2つの型が混じったDNAサンプルを使って研究していたからである。

　1951年11月，ロザリンドは，キングス・カレッジでそれまでに得たデータを報告する研究会を開いた。会場の片隅にひょろりと背の高い若者がいた。ジェームス・ワトソンである。

　ジェームス・ワトソンは，1928年アメリカ生まれ。ロザリンドより8歳年下である。22歳で博士号を取得すると，イギリスに渡ってケンブリッジ大学キャベンディッシュ研究所の大学院生フランシス・クリックと手を組み，DNAの構造解明に執念を燃やしていた。

自分に好意を持たない強力なライバルが現れたことも知らず，ロザリンドは黙々と研究を深めていきました。彼女はあくまで勘や推理に頼らず，実験と計算を繰り返しながら一歩一歩DNAの秘密に近づいていったのです。そしてそれは，あと一歩のところまできていました。

　ワトソンとクリックの2人は，1度DNA模型を組み立てたが，ロザリンドに間違いを指摘され，簡単に一蹴された。巻き返しを狙う彼らは，次のときはさらに慎重だった。ロザリンドが調べ上げたデータをこっそり入手し，決定的なX線写真も手に入れたのである。

　「これだ。これこそ欲しかったものだ。DNAらせんの形と大きさがこれでわかる。我々の勝ちだ！」

✦ ワトソン・クリックの偉業の陰にロザリンドあり

　1953年4月，ワトソン・クリックチームは，DNA二重らせん構造の模型を発表した。反対方向にらせん状に走る2本の鎖の間に特定の2つの塩基が対になって並んでいる。それまでに知られていたすべてのデータを満足させ，非の打ちどころのない完ぺきな美しさを持った模型だった。

図11.3　DNA二重らせん構造[2]

ロザリンドは，発表されたDNA構造に惜しみない賛辞を送った。彼女のデータや写真証拠とぴったり合っていたためである。合うのは当たり前だった。データや写真は彼女自身のものだったのだから。すでに彼女は，キングス・カレッジを去る決心を固めていた。

世紀の発見といわれたDNA二重らせん構造。その陰に隠されていたドラマ。真の発見者は誰なのか，いろいろと考えさせられますね。ロザリンドは，発見の栄光を手にすることなく研究所を去るわけですが，その後彼女にはどんな運命が待ち受けていたのでしょうか。

「宮殿」から「スラム」への引っ越し

33歳になる年，ロザリンドは，ロンドン大学バークベック・カレッジの研究所に移りました。研究所の所長は，ロザリンドが尊敬する結晶学者で，そこで彼女は第二の研究生活を始めました。彼女の言葉を借りれば，それはまさに宮殿からスラムへの引っ越しだったそうです。

　建物はひどくおんぼろで，彼女の研究室は雨漏りがするほどだった。雨が降る日は傘をさして仕事をしていた。しかもX線写真装置は地下にあったため，ロザリンドは，5階にある自分の研究室から1日に何度も階段を上り下りしなくてはならなかった。

　しかし，彼女にとってこのスラムは，素敵なスラムだった。キングス・カレッジのように彼女の仕事を邪魔する者はおらず，女性は男性と同じ場所で食事ができないなどという女性差別もなかった。何より所員のほとんどが，彼女の卓越した手腕に尊敬の念を抱いていた。彼女は，タバコの葉に含まれるタバコモザイクウイルスを構成するRNA（リボ核酸）について研究を楽しんだ。

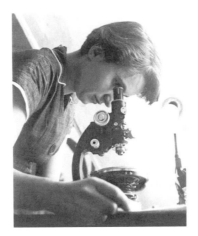

図11.4　ロザリンド・フランクリン（1955年）[3]

見かけは貧しくても，彼女には充実した日々だったといえるでしょう。念願だった海外での講演や研究会にも出かけることができました。しかし，2度目のアメリカ旅行のとき，悲劇の前兆が現れました。

　カリフォルニアの旅先で，彼女は下腹部に鋭い痛みを感じた。痛みは2日間続き，気丈にも苦しみに耐えたが，病魔はすでに彼女をむしばんでいた。がんだった。

　翌年，大量の出血に見舞われ，入退院を繰り返したが，それでも研究所には顔を出した。1人で階段を上るのも苦労したが，所員が手を貸そうとすると断った。友人が病室にロザリンドを見舞ったとき，彼女は，つやのない髪，骸骨のように痩せた顔で「心配しないで。じきに良くなるわ」と何度も繰り返していた。

　不屈ともいえる強さで死と向き合い，生きることへの情熱を決して捨てなかったロザリンドだったが，ついに病魔との戦いに敗れるときが来た。1958年4月16日，ロザリンド・フランクリンは，37歳という短い生涯を終えた。

若くしての死はいつも悲劇的ですが，ロザリンドの場合，もうひとつかわいそうな出来事があります。彼女の死の10年後，ワトソンは発見までの物語を『二重らせん』というタイトルで出版しました。その本の中でロザリンドは意地の悪い，さして能力もない嫌な女性科学者として描かれていたのです。反論をしようにもすでにロザリンドはこの世にいませんでした。彼女の生涯をたどってみると，実際はワトソンの描いたような女性ではなく，献身的に科学の研究に身を捧げた純粋な女性だったことがわかります。彼女はこんな言葉を残しています。

「科学は私にとって人生を解釈する材料を与えてくれる。それは事実と経験，実験に基づいているからだ」

エピローグ *Epilogue*

🦋 DNA 技術の進歩と生命倫理 🦋

かずさ DNA 研究所 広報・教育支援グループ 特任研究員
長瀬 隆弘

　「DNA」や「遺伝子」という言葉のない時代から，人は経験的に親から子に形質が伝わる遺伝現象を知っていました。メンデルの「遺伝の法則」（1865年），アベリーの「遺伝子の本体＝DNA」の証明（1944年）とワトソンとクリックの「DNA二重らせん構造」のモデル提唱（1953年），これら生物学の三大発見によって，生命にとって極めて重要な化学物質であるDNAを調べることが「生命現象」を理解する早道であることがわかったのです。

　1977年にDNA塩基配列決定法が開発され，1995年に世界初となる「生命の設計図」と呼ばれる「ゲノム」のDNA配列がインフルエンザ菌で解読されました。ヒトゲノム解読は2003年に完了宣言がなされ，その後の次世代シークエンサーの開発により，10万種類以上の生物のゲノムが解読されています。ゲノム解読は，

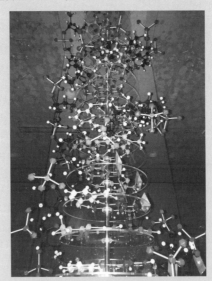

図11.5　二重らせん模型

ある生物がもつすべての遺伝子がカタログ化されたことを意味するので，データベースに蓄積された多くの生物の遺伝子の構造や機能の情報を活用してさまざまな研究が行われています。

DNA研究が急激に進展したのは，DNA配列解析技術のほか，有用な遺伝子を別の生物に導入することでその生物に新しい性質を付与するという「遺伝子組換え技術」(1973年)や，少量の狙ったDNA断片を数百万倍に増幅できる「PCR法」(1985年)の開発があったからです。これらの技術により，微生物に薬や工業製品の原材料を作らせたり，病害に強い作物を作ったり，海水に含まれるDNAを調べて棲息する魚を予想したり，DNA研究の成果は健康・医療・産業・食料・環境など，さまざまな分野に応用されています。特筆すべきは，「ゲノム編集技術」(2012年)の開発により，今後さらに加速度的にDNA研究が進むといわれていることです。

これまではDNAを解読していましたが，これからはDNAを編集できる時代です。遺伝子を改変することで，動植物を思いどおりに変えるのです。国内では，健康機能性成分を多く含むトマトや可食部の多い肉厚のマダイなどがゲノム編集

図11.6　次世代シークエンサー
（DNA配列解析装置）

図11.7　ラン藻ゲノム配列
1996年，かずさDNA研究所，生物で3番目のゲノム解読

ロザリンド・フランクリン　**157**

技術によって作られています。さらに，ゲノム編集技術を遺伝子変異が原因の希少難病の治療に利用できないかと，世界中で研究が進められています。

　また，さまざまな病気とゲノム配列の個人間の違いについて調査する研究が進み，遺伝子を調べることで，病気になる前や生まれてくる前に，ある病気になる可能性があるかどうか知ることができます。個人のゲノム配列を簡単に解析できるようになり，個々のゲノム情報を医療に活かす「ゲノム医療」の時代となってきました。

　一方，ゲノム編集技術によって親の望むデザイナーベビーなどが作られたりしないか，動植物の遺伝子改変で生命を軽視するようになったりしないかなど，新たな生命倫理が問われています。DNA技術の進歩は早く，間違った使い方をせずにどのように社会に役立てるか，若い世代のみなさんに期待します。

読書案内

新版 絵でわかるゲノム・遺伝子・DNA （絵でわかるシリーズ）

中込弥男 著，講談社サイエンティフィク（2011）

ゲノム，遺伝子やDNAについて，挿絵などを多用しやさしく説明された本で，学校の授業で習う前でも興味をもって読むことができます。ヒトゲノム計画の解説もあり，ゲノム情報を利用した医療など最先端の話題にも触れることができます。汎用された実験手法なども紹介され，DNA研究に関して幅広い知識を得ることができる一冊です。

「わが心のふるさとは
マウンテンゴリラたちの
中にある」

マウンテンゴリラの研究に生涯を捧げた動物学者
ダイアン・フォッシー
1932-1985

Dian Fossey

🎖 略歴 🎖

1932 年	アメリカ・サンフランシスコに生まれる。
1950 年	カリフォルニア大学に入学。獣医学を専攻する。
1952 年	サンノゼ州立大学に編入。作業療法を専攻する。
1954 年	サンノゼ州立大学を卒業する。
1963 年	アフリカに行き，野生のマウンテンゴリラに初めて出会う。
1966 年	タンザニアに住む人類学者ルイス・リーキー博士のもとでマウンテンゴリラの生態研究に取り組み始める。
1967 年	コンゴ領カバラにベースキャンプを作り，1 人で研究を始めるが，コンゴ内戦のため退去。 ルワンダ領標高 3,050 m の高地からゴリラの生息地であるヴィルンガ火山群に登って観察を続け，ゴリラの家族として過ごせるようにまでになる。
1985 年	53 歳で逝去。

　1963年，アフリカ中央部にある標高3,111メートルのカバラ高原。初めてアフリカの地を踏んだダイアン・フォッシーは，案内役であるイギリス人のカメラマン夫妻とともに霧深い森の中を慎重な足取りで進んでいた。彼女は，女性には珍しい180センチを超える身体全体に，野生のゴリラと会えるという喜びをみなぎらせていた。

　そのときである。突然，強烈な臭いが鼻を打った。

「何？　この臭いは」

　次の瞬間，太鼓を叩くような音と，大きな金切り声が前方の茂みから聞こえた。フォッシーは恐怖に駆られた。一瞬，凶暴なゴリラに自分が八つ裂きにされる姿が脳裏を走った。夫妻を見ると，「動くな」と手で合図している。フォッシーはその場に釘づけになった。ひとしきり胸を叩き，吠えて威嚇したゴリラは，やがて白く銀色に光る背中を見せて悠然と去っていった。その後ろ姿を見つめ，フォッシーは思わずつぶやいた。

「これがシルバーバックなんだわ」

　しばらくの後，3人は7，8頭でくつろいでいるゴリラの群れに近づいた。ゴリ

図12.1　背中の毛が銀白色となるオスのマウンテンゴリラ[1]

ラたちは，3人が敵でないかどうかじっと観察している。厚い眉の下でキラキラと光る小さな目，ぺちゃんこの鼻，びっしり身体中に生えた黒い毛，そして何ともいえない穏やかな雰囲気。そこにはどう猛な野生動物の群れといったイメージとは程遠い，神々しいまでに清らかな森の住人たちの世界があった。フォッシーは，初めてゴリラと対面したうれしさで全身が震えてくるのを抑えられなかった。「なんて魅力的なの！」

　この日の出会いがきっかけで，その後19年間もゴリラたちと山の中で生活することになるとは，まだフォッシーも気づいていなかった。ダイアン・フォッシー，このとき31歳だった。

美女を大きな手でつかんで人々に追われ，摩天楼を登るキング・コング。体が大きく力強いゴリラは，長い間，本や映画の中で凶暴で破壊的な生き物として扱われてきました。しかし，本当の姿はどうなのでしょうか。彼らは本当に凶暴な生き物なのか，その生態を初めて世に明らかにしたのがダイアン・フォッシーでした。そしてその研究は，ゴリラを捕獲しようとする人々との必死の戦いでもありました。ダイアン・フォッシーの命をかけた研究と戦いに迫ります。

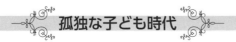

孤独な子ども時代

　ダイアン・フォッシーは1932年1月16日，アメリカのサンフランシスコで生まれた。母親は，雑誌のモデルをしていた美しい女性で，フォッシーが3歳のときに離婚し，5歳のときに金持ちの建築士と再婚した。

経済的には恵まれた環境でしたが，フォッシーは幸せではありませんでした。義理の父とはうまくいかず，母親はちっとも構ってくれなかったため，心に深い孤独を抱えた寂しい少女だったのです。

幼い頃から動物が好きだったフォッシーは，カリフォルニア大学で獣医を目指したが，合格点が取れず落第。そのためサンノゼ州立大学に編入して作業療法を学び，その後，ケンタッキー州のルイビルにある身体障害者のための病院でセラピストとして働くことになった。

フォッシーは自分なりにこの仕事に意義を見出し打ち込んだのですが，仕事を始めてから8年ぐらい経つと，彼女の心は揺れ動き始めました。病院での人間関係や世間との付き合いで悩み事も増え，次第に迷いが生じてきたのです。

「このままでは，何のために生きているのかわからないわ。そうだ，アフリカに行ってみよう。あそこには私が出会ったことがない何かがあるような気がする」

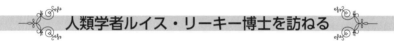
人類学者ルイス・リーキー博士を訪ねる

思い立つと実行力のあるフォッシーです。あちこちから借金して費用をかき集め，1人アフリカへと向かいました。現地でカメラマンの夫婦と知り合い，彼らの案内でフォッシーは人里離れた森の奥へ足を踏み入れました。このとき，冒頭でご紹介した野生のゴリラと初めて対面し，その魅力に取りつかれてしまったのです。

ゴリラの生態にひかれた彼女は，タンザニアに住む人類学者ルイス・リーキー博士を訪ねた。彼は，人類誕生の起源を化石発掘を通して調べているケニア生まれのイギリス人人類学者だった。リーキーのもとには多くの研究者が集まった。なかでも有名なのは，3人の女性研究者である。

チンパンジー研究の第一人者ジェーン・グドール，オランウータンの研究で知られるビルーテ・ガルディカス，そしてゴリラ研究のダイアン・フォッシーである。類人猿の研究に生涯を捧げた3人は，後に「リーキーの類人猿ガールズ」と呼ばれた。

類人猿というのは，ヒトともサルとも違うけど一緒の仲間という意味で，チンパンジー，ゴリラ，オランウータンなどがそれに当たります。小型類人猿としてテナガザルが入ることもあるそうです。

　チンパンジーは，動きが敏しょうで高い知能を持っている。生息地は主にアフリカの熱帯雨林。平均寿命は40年から50年くらい。手足が器用で，石や棒を道具に使うこともある。

図12.2　チンパンジー[2)]

図12.3　オランウータン[3)]

　オランウータンは体が大きく，東南アジアのボルネオやスマトラに生息している。オランウータンとは"森の人"という意味。あごにひげがあり，顔の左右が大きく張り出している。群れを作らず1頭で行動するのがほかの類人猿と異なる特徴である。

　ゴリラの生息地は，主にアフリカ中央部。なかでも高い山に住んでいるゴリラは，マウンテンゴリラと呼ばれている。リーダーのオス1頭，メスと子どもたちが数頭ずつという構成で群れを作っている。オスのリーダーは，年を取ると背中の毛が銀白色となるため，「シルバーバック」と呼ばれている。主食は植物で，1日に20キロから30キロの量を食べる。性格は穏やかで，1日の大半を昼寝と日光浴で過ごす。家族の絆はとても強く，自分の家族を守るためには命をかけて相手に立ち向かうこともある。

図12.4　マウンテンゴリラ[4]

一度アメリカに戻ったフォッシーは，3年後ようやくリーキー博士の許可をもらい，アフリカでマウンテンゴリラの生態研究に取り組むことになります。1966年12月，34歳のフォッシーは，再びアフリカの大地に立ちました。

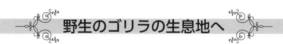

野生のゴリラの生息地へ

　目指すは，マウンテンゴリラの生息するヴィルンガ火山群の高地である。コンゴ領カバラにベースキャンプを作り，たった1人で動物学者としての第一歩を踏み出した。

ところが翌年の7月，折から勃発したコンゴの内戦のためキャンプ地は閉鎖され，外国人のフォッシーは国外へ追い出されてしまいます。もちろん，こんなことでへこたれるフォッシーではありません。「ゴリラには国境はない」といって，今度はルワンダ領の標高3,050メートルの高地にキャンプを作り，そこからヴィルンガの山に登ったのです。

　フォッシーは群れを探し，見つけると遠くから双眼鏡で観察した。厚手の上着にジーンズ，長靴，ナップザックにはノートに筆記用具，カメラ，水筒，雨具も

必需品である。この格好で辛抱強くゴリラの生態を記録し続けた。

　ゴリラに近づいて観察するには，彼らが気を許してくれないとうまくいかない。用心深い彼らは，見慣れない生き物が近づくとすぐに逃げ去ってしまう。そこでフォッシーは，ある計画を考えた。

　夜になるとフォッシーは，録音テープに録ったゴリラの鳴き声や，胸を叩くドラミングの音をもとにゴリラのまねを練習した。毎晩のように小屋の中からは奇妙な声が聞こえてくるため，キャンプ地で働く現地人は気味悪がった。フォッシーは森の中でゴリラに出会うと，目の前でこぶしをついて歩いてみたり，野生のセロリを食べたりしてみせた。こうした努力の甲斐あって，次第にゴリラたちは警戒心を解いていった。

　ゴリラに近づいてから2年目，彼女にとって忘れられない出来事が起きます。

　いつものようにゴリラたちを観察していたフォッシーのもとへ1頭の若いゴリラが近づいてきた。それは，彼女がピーナッツと名づけたゴリラだった。

　いきなりドスンとフォッシーのそばに座り込んだピーナッツは，フォッシーの目を覗き込んだ。それは，仲間を覗き込む目だった。フォッシーはゆっくり横になり，手を伸ばして草の上に置いた。ピーナッツはしばらくその手を見つめていたが，1歩近づくと大きな手を伸ばしフォッシーの手の上に重ねた。指と指が触れ，ゴリラの皮膚の感触がフォッシーを包み込んだ。フォッシーは感動で声が出なかった。野生のゴリラが，まるで握手するように自分の手を重ねてくれたのである。

　このときからフォッシーにとってゴリラは，単なる観察の対象ではなく，家族や友人以上に大切な仲間になった。彼女はこの感動を忘れまいと，ここを「手の場所」と命名した。

こうしてフォッシーは，それまで誰も試みなかった新しい接触方法によって，マウンテンゴリラの貴重な観察記録をまとめました。その研究内容は，アメリカの雑誌『ナショナルジオグラフィック』などで発表され，動物学者としてのフォッシーは大きな注目を集めたのです。しかし，悲しい出来事も同時に起こりました。

動物園によるゴリラの捕獲

　フォッシーにぶら下がって無邪気にじゃれている2頭の子どもゴリラ，ココとパッカー。フォッシーにとって2頭は，かわいい我が子同然であり，彼らもまた，フォッシーを母親のように慕い，甘えた。しかし，ある日，ドイツの動物園がココとパッカーを生け捕りにしようとしたとき，彼らの家族は全員が殺されてしまった。ココとパッカーは人間に捕らえられ，狭いおりに閉じ込められた。知らせを聞いてフォッシーが駆けつけたときには，ほとんど死にかけている状態だった。

この事件にフォッシーは怒りに震えました。動物園側に激しく抗議したものの，ゴリラの捕獲はルワンダ政府の許可を得て行われたものだと知らされ，一研究者にすぎない彼女には，これ以上どうすることもできません。とはいえ，このまま死にかけている子どもゴリラを放ってはおけないと動物園側と交渉した結果，研究所で看病させてもらうことになりました。

　しかし，回復した子どもゴリラを早く返せという動物園側の要求は厳しかった。フォッシーは，やむなくココとパッカーを引き渡さなくてはならなかった。彼らは連れ去られるとき，車に積まれたおりの中から悲しそうな目でフォッシーをいつまでも見つめていた。

ココとパッカーと別れた後，フォッシーは森に走り込み，彼らとよく遊んだ場所で大きな声をあげていつまでも泣いていたそうです。ココとパッカーは数年後，西ドイツの動物園で相次いで死んでしまいました。

　山に入ってから10年近い歳月が流れた。今ではフォッシーは，ゴリラの群れでは家族の一員として扱われた。一緒にじゃれあい，昼寝をし，追いかけっこをした。なかでもフォッシーの一番のお気に入りは，ディジットと名づけた若いオスのゴリラだった。フォッシーは彼を赤ん坊の頃から知っていた。成長したくましくなってからも茶目っ気たっぷりに，いつも真っ先にフォッシーを見つけて駆け寄ってきては，いたずらしたり甘えたりした。彼らと過ごすこうした時間は，フォッシーにとって，何ものにも代え難い至福のときだった。

とうとうゴリラの家族同然にまでなってしまったフォッシー。しかし，悲劇はすぐ近くに迫っていました。果たして彼女の身に何が起こったのでしょうか。

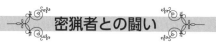

密猟者との闘い

ルワンダの奥地で1人研究に没頭していたフォッシーでしたが，間もなく彼女の周りはにぎやかになってきました。これまで知られなかった野生のゴリラの生態がフォッシーによって写真や本で紹介されるようになると，ゴリラに興味を持つ学生や研究者がこぞって集まってきたのです。
そんなある日，学生の1人が血相を変えてフォッシーの小屋に飛び込んできました。

「先生，大変です！　ゴリラの群れが密猟者に襲われました」
　現場に駆けつけたフォッシーは，あの愛しいディジットが無残な姿で殺されて

いるのを目の当たりにした。頭と腕を切り落とされ，体には無数の槍の刺し傷が残っていた。リーダーとして群れを守るため勇敢に戦い，殺されたに違いない。密猟者に対するフォッシーの怒りは，誰にも抑えようがなくなった。

密猟者とはいっても，彼らは元々周辺に住んでいる現地人でした。白人たちから見れば許せない密猟者ですが，彼らにしてみればゴリラを捕獲して業者に売ることが貧しい生活の中で糧を得る手段だったのです。ですからこれは一方的に彼らが悪いとは言い切れない難しい問題をはらんでいたのですが，ゴリラ絶滅の危機感と愛しいものを奪われた怒りに駆られたフォッシーは，もはや冷静ではありませんでした。

フォッシーは，自分のお金でパトロール隊を組織し，軍隊に協力を要請して密猟者を追いまわした。密猟者が住む村を見つけると容疑者を容赦なく逮捕させ，警察に連行した。夫や息子，兄弟が連行される家族や村人の憎悪が一斉にフォッシーに注がれた。しかし，フォッシーはひるまなかった。
「あなたたちに私の大事なゴリラをこれ以上殺させるもんですか」

まもなく悲劇は起こりました。1985年，フォッシーはクリスマスの夜を学生たちとささやかなパーティーで祝った後，早めにベッドに入ったのですが，それが人々が目にしたフォッシーの最期の姿でした。

翌朝，現地人の1人がフォッシーの小屋を訪ねたとき，寝室には血に染まった大きななたが転がっていた。そして，ベッドの上には血まみれになって息絶えているフォッシーの無惨な姿があった。彼女を殺した犯人はいまだに不明である。
　フォッシーの遺体は，研究所の裏庭の片隅に葬られた。そこにはディジットをはじめ，彼女が愛したゴリラたちも一緒に眠っている。ダイアン・フォッシー，ゴリラのために全力で戦い抜いた53年の生涯だった。

ゴリラのリーダーは，家族を守るためには自分の命は惜しまないといいます。フォッシーの生き方は，まさにそのリーダーと同じだったといえるでしょう。彼らの優しい本当の姿を伝えたい，そんな気持ちで研究に生涯を捧げたフォッシーでしたが，ゴリラを愛する想いは本当に純粋なものでした。彼女はこんな言葉を残しています。

「わが心のふるさとはマウンテンゴリラたちの中にある」

ダイアン・フォッシーから学んだこと

総合地球環境学研究所 所長

山極 壽一

日本の霊長類学が初期に用いた手法は、野生のニホンザルの群れを餌付けによって慣らし、彼らの行動をつぶさに観察するというものでした。しかし、人工的な餌場にサルを集中させたことは、栄養条件や社会環境の面でサルの自然な生活を大きく歪めるという側面もありました。こうしたことから、餌付けに頼らない自然環境のもとで霊長類の生態を観察することが不可欠となりました。

ダイアン・フォッシーの研究は、まさにそれを長期にわたり実践したものでした。京都大学大学院理学研究科在籍時に山極先生は、1980年から2年間にわたりヴィルンガ火山群の奥地でフォッシーを指導教員としてゴリラの研究を行い、貴重な観察記録を残しました。野生のゴリラに関する長期的な資料が古くから継続して残されているのはヴィルンガ火山群に限られており、そうした意味でもフォッシーの功績は大きいと山極先生は語ります。

(山極先生)「ダイアン・フォッシーは、私のゴリラの先生で、1978年に僕がアフ

提供：山極壽一氏

図12.5　マウンテンゴリラの家族

リカでゴリラの調査を始めてしばらくして，ゴリラと親しくなる方法を教えてくれた方です。それから僕はヴィルンガ火山群を出て，ゴリラの広い分布域，特に低地の熱帯雨林帯の方に調査の範囲と対象を広げたわけですが，いまだにダイアン・フォッシーが教えてくれた方法を用いています。ゴリラに近づいて辛抱強く彼らと友達になってゴリラの行動を見ること，それが調査の中心になっています」

　　　ゴリラたちが自然環境をどのように利用して生活しているのかを観察することは，人類がいかにして今日のように進化を遂げてきたのかを知る手がかりにもつながっています。長期にわたる観察の結果，現在，ゴリラの生態について多くのことが解明されています。

（山極先生）「マウンテンゴリラというのは，ゴリラの分布域の中ではとても辺境にいて，ゴリラの中心的な特徴を示すわけではないんですね。低地ではゴリラがフルーツを好む，木の上にもよく登る，チンパンジーに匹敵するような生態を持っていることがわかってきました。ゴリラが食物を分配することも発見しました」

　　　ダイアン・フォッシーが実践していた餌付けに頼らない観察方法によって，霊長類学は大きく前進しました。山極先生はヴィルンガ火山群で過ごした2年間で，ダイアン・フォッシーから多くのことを学んだといいます。

提供：山極壽一氏

図12.6　マウンテンゴリラとともに

提供：山極壽一氏

図12.7　カリソケでダイアン・フォッシー博士とともに

（山極先生）「ダイアン・フォッシーは，マイナスの面も教えてくれました。それは，地元の人たちとの間で大きく対立してしまって反感を買い，結局ダイアン・フォッシーはトラブルに巻き込まれ殺害されてしまったわけです。ゴリラを守るためには，やはり地元の人たちの協力が必要です。そのことを肝に銘じて，僕たちダイアン・フォッシーの弟子たちは，地元でNGOを作って，僕自身もそうですけども，ゴリラをどうやって理解したらいいか，ゴリラと一緒に生きるためにはどうしたらいいか考えながら実践活動をしています」

読書案内

人生で大事なことはみんなゴリラから教わった

山極壽一 著，家の光協会（2020）

ダイアン・フォッシーに教えを受けた後，私がさまざまなゴリラの生息地で調査をしたこと，また，ゴリラや地元の人々から学んだことが描かれています。現代の日本に生きる人たちにも大いに参考になると思います。

「私が死んだら
　ブラジルのあの森に
　運んでほしい。
　私の体は偉大なダイコクコガネ
　が埋葬してくれるはずだ」

進化論を発展させた生物学者
ウィリアム・ドナルド・ハミルトン 1936-2000
William Donald Hamilton

🎖 略 歴 🎖

1936 年	エジプト・カイロで生まれる。 まもなくイギリス・ケント州オークリーに移る。 10 歳頃から昆虫に興味を持ち始める。
1957 年	ケンブリッジ大学に入学。 後にロンドン大学に移り，昆虫の生態と遺伝学の研究に情熱を注ぐ。
1963 年	博士号取得。初めてブラジル調査に参加する。
1964 年	ダーウィン理論を発展させた血縁淘汰の理論を発表する。
1999 年	エイズウイルスの感染源を突き止めるため，アフリカへ向かう。
2000 年	63 歳で逝去。

ハミルトン，ミツバチに襲われる

　1966年ブラジル。暑い日差しが降り注ぐとある村で，頭からベールをかぶった1人の男が，木の切り株の上に乗っている木製の箱を慎重な手つきで開けようとしていた。その男は，イギリスからハチの研究に来ていたウィリアム・ハミルトン。

　ある日彼は，村の農夫からハチミツを採ってほしいと頼まれ，箱の中からびっしりとミツバチの張りついた板を取り出そうとしていたのである。そのとき，箱から飛び出したミツバチの大群がハミルトンに襲いかかった。

「しまった！」

　このミツバチは，ブラジルに輸入されたばかりの攻撃性の高いアフリカミツバチだった。しかし，気がついたときは後の祭り。たちまち群がるミツバチでハミルトンの手はボクシングのグローブを着けているように茶色の丸い膨らみになった。

　ハミルトンは，慌てて森の中に駆け込んだ。ミツバチの大群が後を追う。ベールを脱ぎ捨て必死になって走った。心臓が破れるかと思うほど走り続け，ようやくミツバチの追跡を振り切った。荒い息を吐きながらハミルトンは木にもたれて休んだ。刺されたところがみるみる腫れていく。痛みもひどい。と，腕を見ると払い残した1匹のミツバチがついている。

「こいつは……」

　ハミルトンはミツバチをつまみ上げ，しげしげと眺めた。こんな悪さをする生き物はなんて憎たらしいのだろうと思いたいのだが，どうしてもそれができない自分に気がついて思わず苦笑いした。このときハミルトン30歳を過ぎた頃だった。

虫が好きで好きでたまらないというと，何だかちょっと変わった人のように思われがちです。しかし，何事によらず対象に深くほれ込まないと新しい発見はできませんよね。ウィリアム・ハミルトンは，昆虫への深い愛情があったからこそ，生物の進化という問題で大きな発見ができた人です。それでは，彼とともに昆虫たちの世界へ入ってみましょう。

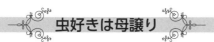

虫好きは母譲り

　ウィリアム・ハミルトンは1936年8月1日，エジプトのカイロで生まれた。まもなくイギリスのケント州オークリーに移り，この場所で少年時代を過ごした。

オークリーの住居の周りは，森や野原など自然がいっぱいに広がっていました。10歳の頃からハミルトンは猛烈に昆虫に興味を持ちます。きっかけは，母親でした。

「このクモは怖いと思う？　本当はクモってとっても勇気があって賢い生き物なのよ。人間が怖がらないで接すればとてもかわいいの」

　ハミルトンの母親はそう言って，クモの巣から1匹のクモを取り上げ，手の上に乗せて歩かせてみせた。ハミルトンと妹もこわごわまねをして手にクモを乗せた。

「痛い！」

　このとき，クモがハミルトンの手をかんだ。しかし，ハミルトンは振り落とさなかった。大きな体の人間と精一杯戦おうとするクモの勇気に感心してしまったのである。

「お母さん，僕，クモ怖くないよ」

これをきっかけにハミルトンは，石をひっくり返してその下にいる昆虫を探すことに夢中になりました。昆虫学者ハミルトンの誕生です。イモムシを捕まえて家に持って帰ったときは，母親がジャム瓶を用意して紙のふたにヘアピンで空気穴を作ってくれたりもしました。母親は嫌な顔ひとつせず，ハミルトンの昆虫集めに協力してくれたのです。
ところで，昆虫といったらこの人を抜きにしては話になりません。ジャン＝アンリ・ファーブル，フランスの昆虫学者ですね。ここで一度，ファーブルの仕事を振り返ってみましょう。

ファーブルの教え

ファーブルは1823年，南フランスの貧しい村で生まれた。ハミルトンの生まれるおよそ110年前である。彼は生涯のほとんどをひどい貧乏と戦いながら過ごした。

ファーブルの名を有名にしたのは，コブフシダカバチの観察だった。コブフシダカバチの餌はゾウムシだが，その場ですぐゾウムシを殺すのではなく，神経をまひさせて生きたまま幼虫の餌にするという不思議な生態を発見したのである。

この発見の前，ファーブルは毎日土手に座り込み，何時間も巣を覗き込んでいた。ハチが飛べば後を追いかけ，餌にするゾウムシを何日もかけて捕まえたりもした。ゾウムシが針を刺される瞬間を見るために何時間も目を凝らし，虫眼鏡で体の隅から隅まで調べる。こんなことを炎天下で延々続けたのである。

やがてファーブルは，貧しい生活の中，28年の歳月をかけて『昆虫記』を書き上げた。『昆虫記』は，ファーブルが観察した昆虫の生態記録である。しかし，同時にそれは哲学の書であり，ファーブルの自伝でもあり，自然の美しさを歌った優れた詩集でもあった。後にも先にもこれほど膨大な昆虫の生態記録を残した人物はいない。

ハミルトンもファーブルから大きな影響を受けました。ハミルトンは，ファーブルについてこのように語っています。

「私は，ファーブルから昆虫は単なる収集の対象としてだけではなく，それをはるかに超えた面白さを持つものだということを学んだ。これは新鮮な驚きだった」

ダーウィンの進化論を研究する

昆虫に取りつかれた少年は成長し，その後ケンブリッジ大学に入学します。さらに，ロンドン大学に移って昆虫の生態と遺伝学の研究に情熱を注ぎました。特に彼をひきつけた研究というのが，生物の進化についてです。生物の進化といえば，あの有名なチャールズ・ダーウィンを抜きには語れませんね。彼の著作『種の起源』で進化論を発表して衝撃を引き起こしたのは 1859 年。ハミルトンの生まれるおよそ 80 年前でした。

　自然界では常に激しい生存競争が行われている。この生存競争に勝って生き残れるのは，最も環境に適した有利な性質を持った個体だけである。この個体は生存に有利な性質を子孫に伝え，その数を増やしていく。こうして種は変化し，最後にはすべてがその性質を持った新しい種ができる。これがダーウィンの進化論の中心命題「自然淘汰」である。

　しかし，働きバチや働きアリの場合はどうか。自然淘汰に従えば，自分で子を産んで育て繁栄を図るはずなのに，彼らは自分で子を産むのを止め，女王が産んだ子，つまり，自分の弟や妹を育てるのに専念している。なぜダーウィンの進化論に逆らう行動をとっているのか。これはダーウィン進化論の未解決の問題とされていた。ハミルトンは，この問題に取り組んだのである。そして彼は，やがて「血縁淘汰」という新しい理論を導き出した。

「確かに，自分で子を産み育てないというのは，生存競争において不利な性質である。しかし，女王バチや女王アリから生まれた自分と同じ遺伝子を持つ血縁者を育てれば，血縁社会全体では同じ遺伝子のコピーを持つ個体の割合は上がっていく。つまり，血縁の濃い個体を育てることは，やがては血縁社会全体の繁栄につながると見ていいのではないだろうか」

ハミルトンの考えた血縁淘汰の理論は，初めはなかなか学会の理解を得られませんでしたが，後にダーウィン進化論を発展させたものとして高く評価されました。しかし，やはりハミルトンが最も生き生きしたのは，昆虫を観察しているときでした。

ダイコクコガネに魅せられる

　日の暮れかかるブラジルの森の奥，降りしきる雨の中，ハミルトンはしゃがみこんで，地上に横たわっている物体に懐中電灯の光を当て，注意深く見ていた。横たわっているのは，ニワトリの死骸である。いったい彼はなぜ死骸を見つめているのだろうか。と，そのとき，死骸に変化が現れた。ハミルトンの顔が緊張する。胸の辺りの羽毛が突然膨らみ始め，その膨らみは徐々に首の方に向かって移動しながら大きくなった。次の瞬間，首の付け根に穴が開いた。そしてズタズタになった切り口から汚れた緑色の物体がはい出てきた。その物体は，ゴルフボールほどもあるまるまると太った昆虫，ダイコクコガネだった。

　ダイコクコガネはコガネムシの仲間で，体長およそ2〜6センチの大きさを持つ甲虫である。オスは頭に立派な角を生やしており，一見カブトムシのような印象を受ける。牛や馬のふんを主食とするため，放牧地に多く生息しているが，現在はその数が激減しており，絶滅の恐れがあるといわれている。

　ダイコクコガネは，折から降り出した雨の中でぶるっと身を震わした。すると汚れが落ち，金色，黄色，緑色の鮮やかで美しい金属光沢を持った体が懐中電灯の光の中に浮かび上がった。

図13.1　ダイコクコガネ[1]

「なんという美しさだ」

　ダイコクコガネは，肉の塊を脇に抱えていた。そのとき，ハミルトンの近くの枯れ葉と土が動き，穴の中からメスのダイコクコガネが姿を現した。メスは，オスの抱えている肉の塊を受け取ると，チラリとハミルトンの方へ目をやり，再び穴へ戻っていった。オスは次の肉を手に入れるべく，再びニワトリの死骸に潜り込んでいった。

　この手順は何度も繰り返されているかのように，すべてが整然としていた。雨に打たれているのも忘れたかのように，ハミルトンはしゃがみ込み続けた。さりげなく繰り広げられる昆虫の堂々とした営みに，言い知れぬ深い感動を覚えていた。

小さな生き物への愛情は，やがてハミルトンを新たな研究テーマへ導きます。ブラジルで昆虫の研究をしていたハミルトンでしたが，その後彼はアフリカに向かいました。この地で珍しい昆虫の観察を始めるつもりだったのでしょうか。実は今度の旅の目的は，今までとはまったく異なるものでした。

病原体の研究に取り組む

　1999年の夏，アフリカ，コンゴのジャングル地帯。ハミルトン一行は，くり抜いた大木で作った丸木船に乗って川を下っていた。やがて船は，かつてリンリー

キャンプと名づけられていた場所に到着した。村人の案内を受け，ハミルトン一行は辺り一帯をくまなく調査している。彼の目的は一体何なのだろうか？　実は，世界的な脅威となっているエイズウイルスの感染源を突き止めるべく，ハミルトンはアフリカに来ていたのである。

　ヒト免疫不全ウイルス(HIV)はどこから来たのか，これは今もって謎とされているが，最近では有力な説もある。アメリカの研究所が開発したポリオ生ワクチンが1950年代にアフリカのコンゴで大量に摂取された。その生ワクチンは，リンリーキャンプで400匹のチンパンジーの幹細胞を使って培養されたものだった。しかし，チンパンジーの幹細胞には，サル免疫不全ウイルス(SIV)が混ざっていた。それがワクチン接種によって人にうつり，人の体内で現在のエイズウイルスに変異したのではないかという説である。

しかし，このポリオ生ワクチンを起源とする説は，学会ではなぜか封印され，多くのジャーナリズムも紹介しませんでした。アメリカの研究所からの圧力があったという話もありますが，詳しいことはわかりません。ただ1つはっきりしているのは，その頃ハミルトンは，進化の過程における病原体の研究にも取り組んでいたため，この説に説得力を感じ，調査に値すると強く信じたということです。

「我々の調査がアフリカの人々を苦しめる恐ろしい伝染病をより深く理解するために，そして実現できるかもしれないワクチンが治療方法に向かう1つのステップとして役立つことを心から願っている」

　しかし，その願いは，志半ばで消えた。2000年，2回目の調査のためハミルトンは再びアフリカに向かったが，それは二度と帰らぬ旅となった。アフリカに着いて間もなく，ハミルトンは悪性のマラリアに感染した。それが命取りとなり，2000年3月7日，ハミルトンは息を引き取った。63歳だった。

「奇抜な発想をする人だけど本当に心の優しい人だった」とハミルトンを知る多くの人が言います。昆虫への一途な愛もそうした人柄の表れだったのでしょう。彼の想いは昆虫とともに生き，昆虫とともに死ぬことにあったのかもしれません。ハミルトンは，こんな言葉を残しています。

「私が死んだらブラジルのあの森に運んでほしい。私の体は偉大なダイコクコガネが埋葬してくれるはずだ。彼らは私の中に入り込み，私の体を土に埋め，私の肉を食べて生きるだろう。私は彼らの子孫と私の子孫に姿を変えて生き残っていくのだ」

エピローグ
Epilogue

🦋 地球は昆虫の惑星 🦋

東京農業大学 名誉教授　岡島 秀治
東京農業大学農学部 教授　小島 弘昭

　東京農業大学農学部昆虫学研究室。こちらの研究室では，東南アジアの熱帯雨林でも昆虫の採集調査を行っています。樹木の高い場所（林冠）には，さまざまな種類の昆虫が集まっていることが多く，調査をするのに興味深い場所です。しかし，熱帯雨林の樹木は何十メートルもの高さになり，採集は容易ではありません。

（岡島先生）「昆虫採集，これが一番の基本になります。各地へ出かけて昆虫採集をして，標本を持ち帰る。その標本をきちんと整理してそれを調べるという仕事になります。顕微鏡でわかるのは主に形態的なことなのですが，形態を詳しく調べていくと標本からでもその昆虫の生き様みたいなものがかなり詳しくわかってくると思います」

（小島先生）「50〜60メートルのタワーを熱帯のジャングル内に建設したり，あるいは，最近はクレーンのような大がかりな機材を熱帯雨林の中に設置したりして，それで調査を行うという方法もありますが，そうした調査法は，お金がかかるということと，また，タワーを建てても調査できる範囲が限られるということで，私は薬剤散布という方法で調査をしています。機械を使い，残留性のない薬剤を林冠に向けて噴煙します。薬剤に反応して昆虫が一瞬気絶して落ちてくるわけですが，落ちてきた虫を下に並べたトレイで受け取るという機動性がある方法（図13.2）です」

薬剤を散布して昆虫を採集する方法を，「フォギング法」といいます（図13.3）。使われている薬剤は人体に無害で残留性や環境負荷もほとんどない成分でできています。こうした調査方法によってさまざまな昆虫の採集に成功しました。

（小島先生）「採れる昆虫は，大型のものばかりではなく，顕微鏡で見ないとわか

図13.2　気絶して落ちてきた昆虫を受け取るトレイ

図13.3　フォギング
フォグマシンを高所につり下
げて薬剤を散布

らないようなものが大半です。調査に行って帰ってきて顕微鏡で覗くと，その
ほとんどが名前のついてない新種の昆虫なんですね。

　図13.4は東南アジアで採ってきた標本で，ゾウムシの仲間の甲虫です。こ
ちらの大型の種は，ヤシ類などの害虫になるものです。幼虫が幹の中に入ると
木が枯れてしまいます。

　図13.5の小さい種はヤシの花に集まってくるもので，花粉媒介をするポリネー
ターになっていると思われるものです。この小型の種は，まだ誰も調べていな
くて，ほとんどが名前のついてない新種なのです。花粉媒介をする昆虫という
と，ミツバチとかハチの類をイメージされる人が多いのですが，実はこうした
非常に小さな甲虫の仲間，特にゾウムシの仲間が野外ではポリネーターとして
機能していると考えています」

（岡島先生）「今まで我々が考えていた以上に，地球上には昆虫の種数が多いとい
うことが，最近の研究でどんどん明らかになっています。今わかっている昆虫
の10倍だとか20倍だとか，あるいはそれ以上の昆虫がまだいるんじゃないか
といわれます。言い換えれば，ごく一部の昆虫しかまだ調べていないというこ
とになると思います」

ウィリアム・ドナルド・ハミルトン　　**183**

写真提供：小島弘昭氏

図13.4　ゾウムシ（大型）
ヤシ類を加害するオサゾウムシの仲間

写真提供：小島弘昭氏

図13.5　ゾウムシ（小型）
ヤシ類の花粉媒介に関与するアケボノゾウ
ムシの仲間

徹底図解　昆虫の世界

岡島秀治 監修，新星出版社（2009）

本書では，昆虫に関する広範な分野の基本的知見を多くの
図を用いてわかりやすく解説しています。

（図書推薦　小島弘昭教授）

あとがき

　大学進学者の多い高校では，受験を見据え文系か理系かを選択しなければならない時期が来ます。しかし私たちの社会で次々と起きるさまざまな課題は，文系や理系に分けて簡単に解決することはできません。SDGs（持続可能な開発目標）の最初の3項目は「貧困をなくそう」「飢餓をゼロに」「すべての人に健康と福祉を」ですが，これだけでも1つの学問分野ではとても解決できそうにないことがわかります。そもそも貧困，飢餓はどうして生じるのか，健康と福祉を得られないのはなぜかを考え，それらが生じるメカニズムを分析し，いくつもの要因を1つずつ相互の関係を見据えながら解決策を探さなければ本当の解決には至れないでしょう。そのためには，さまざまな人々と協力して，さまざまな分野の知識を動員して，デザインし，「総合知」を創り出すことが必要なのです。

　本書は科学の偉人を紹介しています。真理の追究や人や社会の役に立ちたいという偉人たちの探究とその生涯を通して，探究テーマや将来の姿を考える機会にして欲しいと思います。自ら問いを立て，自ら学びを深めていく姿勢は今日の探究学習そのものと思います。そのとき，教科書の知識をいかに多く記憶できるか，ネットから知識をいかに素早く探し出せるかはさほど重要ではありません。またさまざまな知識を自ら吸収していく姿勢は，STEAM教育*のモデルとして参考になると思います。さらに，科学の進歩や考え方に触れることで科学の進んだ人間社会のあり方やSDGsなどの課題を考える際の参考になると思います。

---

*科学（Science），技術（Technology），工学（Engineering），アート（Art），数学（Mathematics）の5領域を対象とした理数教育に創造性教育を加えた教育理念。

本書を刊行することとなったきっかけは，前著『世界を変えた60人の偉人たち』執筆の際に，科学技術振興機構（JST）サイエンスポータル「偉人たちの夢」を発見したことに遡ります。前著はテクノロジーが主役でしたので，読者から著名な科学者が登場する書籍刊行のご要望をいただいていたのです。そこでJST様に書籍化のご相談をしたところ，幸いにもご快諾をいただき編集作業に入りました。しかし公開から10年以上経っていたことから，原稿作成や内容確認に時間がかかりました。加えて2020年1月からの新型コロナウイルスの感染拡大の影響で発行が大幅に遅れ，関係のみなさまには大変なご心配をおかけしてしまった次第です。

　ここにシリーズを刊行できましたのも関係のみなさまのご協力のおかげと感謝申し上げます。本学園顧問として高い見識と幅広い知見をご教示いただき，巻頭言を寄稿いただきました吉川弘之先生に厚く御礼申し上げます。また動画「偉人たちの夢」の活用をご快諾いただきましたJST「科学と社会」推進部のみなさまに感謝申し上げます。そしてエピローグをご執筆いただきました先生方には，次世代を担う若者のために多大なご協力を賜り深く感謝申し上げます。東京電機大学田中浩朗教授にもアドバイスをいただきました。書籍化に際しては出版局員一同がかかわりました。

　本書を手にした中学生，高校生のみなさんが，偉人たちそして諸先生方からの素晴らしい贈り物を大切に受け取っていただけたなら，これ以上の喜びはありません。なお，本書の不十分な点，ご指摘などありましたらぜひご教示いただければ幸いです。

編者記す

参考文献

◎アントニー・ファン・レーウェンフック
1） Wikimedia Commons：
  https://commons.wikimedia.org/wiki/File:Leeuwenhoek_Microscope.png
2） Wikimedia Commons：
  https://commons.wikimedia.org/wiki/File:Leeuwenhoek_Eschenholz.jpg
3） 『レーベンフックの手紙』クリフォード・ドーベル著／天児和暢訳，九州大学出版会，
  2003年。

◎カール・リンネ
1） Wikimedia Commons：
  https://commons.wikimedia.org/wiki/File:Carolus_Linnaeus_by_Hendrik_
  Hollander_1853.jpg
2） Wikimedia Commons：
  https://commons.wikimedia.org/wiki/File:Neverseen_like_this.jpg
3） Wikimedia Commons：
  https://commons.wikimedia.org/wiki/File:Lasdon_Arboretum_-_Quercus_
  acutissima_-_IMG_1515.jpg
4） 『カール・フォン・リンネ』グンナル・ブルーベリィ著／津金レイニウス豊子訳，ス
  ウェーデン文化交流協会，2006年。

◎メアリー・アニング
1） Wikimedia Commons:
  https://commons.wikimedia.org/wiki/File:Lyme_Regis_1_MRD.jpg
2） Wikimedia Commons:
  https://commons.wikimedia.org/wiki/File:Ichthyosaurus_BW.jpg
3） Wikimedia Commons:
  https://commons.wikimedia.org/wiki/File:Ichthyosaurus_communis_2.JPG

4） Wikimedia Commons:
　　https://commons.wikimedia.org/wiki/File:202006_Plesiosaurus_dolichodeirus.
　　png
5） Wikimedia Commons:
　　https://commons.wikimedia.org/wiki/File:Rhomaleosaurus_%26_Mary_Anning_
　　plaque_NHM.jpg
6） Wikimedia Commons:
　　https://commons.wikimedia.org/wiki/File:Pterodactylus_holotype_fly_
　　mmartyniuk_white_background.png
7） Wikimedia Commons:
　　https://commons.wikimedia.org/wiki/File:Pterodactylus_kochi.jpg
8） Wikimedia Commons:
　　https://commons.wikimedia.org/wiki/File:Duria_Antiquior.jpg
9） Wikimedia Commons:
　　https://commons.wikimedia.org/wiki/File:Mary_Anning_painting.jpg
10）『メアリー・アニングの冒険——恐竜学をひらいた女化石屋』吉川惣司・矢島道子著，
　　朝日選書，2003年。

◎グレゴール・ヨハン・メンデル
1） Wikimedia Commons:
　　https://commons.wikimedia.org/wiki/File:StThomasAbbeyBrno.jpg?uselang=ja
2）『メンデル——遺伝の秘密を探して』オーウェン・ギンガリッチ編集代表／エドワー
　　ド・イーデルソン著／西田美緒子訳，大月書店，2008年。
3）『遺伝の法則にいどむ——メンデル伝』中沢信午著，国土社，1980年。

◎ジャン＝アンリ・ファーブル
1） 例えば，『完訳ファーブル昆虫記』第6巻下（集英社，2008年）の「14章 イナカコオ
　　ロギの歌——コオロギの仲間の発音と交尾」など。
2）『ファーブル伝』ジョルジュ＝ヴィクトール・ルグロ著／奥本大三郎訳，集英社，2021年。

◎イワン・ペトローヴィチ・パブロフ
1） Wikimedia Commons:
　　https://commons.wikimedia.org/wiki/File:One_of_Pavlov%27s_dogs.jpg
2） Wikimedia Commons:
　　https://w.wiki/89vz

3）『パヴロフ——脳と行動を解き明かす鍵』オーウェン・ギンガリッチ編集代表／ダニエル・P・トーデス著／近藤隆文訳，大月書店，2008年。

◎牧野富太郎
1）国立国会図書館蔵
https://rnavi.ndl.go.jp/jp/gallery/post_986.html
2）Wikimedia Commons:
https://commons.wikimedia.org/wiki/File:Aldrovanda_vesiculosa_kz05.jpg
3）Wikimedia Commons:
https://commons.wikimedia.org/wiki/File:Sueko-zasa_2013-11-24.JPG
4）牧野富太郎．1940．牧野日本植物圖鑑．北隆館．東京．
高知県牧野記念財団・北隆館．牧野日本植物図鑑(初版・増補版)インターネット版．
(http://www.hokuryukan-ns.co.jp/makino/index.html)
※許可なき本画像の二次使用は固く禁じます。
5）『草木とともに——牧野富太郎自伝』牧野富太郎著，角川文庫，1992年。

◎バーバラ・マクリントック
1）Wikimedia Commons:
https://commons.wikimedia.org/wiki/File:Corn_and_microscope.jpg
2）Wikimedia Commons:
https://commons.wikimedia.org/wiki/File:Barbara_McClintock_(1902-1992)_shown_in_her_laboratory_in_1947.jpg
3）『動く遺伝子——トウモロコシとノーベル賞』エブリン・フォックス・ケラー著／石館三枝子，石館康平訳，晶文社，1987年。

◎今西錦司
1）Wikimedia Commons:
https://commons.wikimedia.org/wiki/File:Mt_Manaslu.jpg
2）『生物の世界』今西錦司著，講談社文庫，1972年。

◎コンラート・ローレンツ
1）Wikimedia Commons:
https://commons.wikimedia.org/wiki/File:Dwlhany.jpg
2）Wikimedia Commons:
https://commons.wikimedia.org/wiki/File:Anser_anser_Chorz%C3%B3w.jpg

3）『コンラート・ローレンツ』A・ニスベット著／木村武二訳，東京図書，1977年。

4）『ローレンツの世界──ハイイロガンの四季』コンラート・ローレンツ著／羽田節子訳，日経サイエンス，1984年。

◎ロザリンド・フランクリン

1）Wikimedia Commons:
https://commons.wikimedia.org/wiki/File:Fig-1-X-ray-chrystallography-of-DNA.gif

2）Wikimedia Commons:
https://commons.wikimedia.org/wiki/File:DNA_animation.gif

3）Wikimedia Commons:
https://commons.wikimedia.org/wiki/File:Rosalind_Franklin.jpg

4）『ダークレディと呼ばれて──二重らせん発見とロザリンド・フランクリンの真実』ブレンダ・マドックス著／福岡伸一監訳／鹿田昌美訳，化学同人，2005年。

◎ダイアン・フォッシー

1）Wikimedia Commons:
https://commons.wikimedia.org/wiki/File:Bristol.zoo.western.lowland.gorilla.arp.jpg

2）Wikimedia Commons:
https://commons.wikimedia.org/wiki/File:016_Alpha_male_chimpanzee_walking_at_Kibale_forest_National_Park_Photo_by_Giles_Laurent.jpg

3）Wikimedia Commons:
https://commons.wikimedia.org/wiki/File:Bukit_Merah_Orang_Utan_Island_Foundation.jpg

4）Wikimedia Commons:
https://commons.wikimedia.org/wiki/File:Female_Gorilla_in_Rwanda_at_the_Volcanoes_National_Park_(290812727).jpg

5）『動物研究者ダイアン・フォッシー　こんな生き方がしたい』柴田都志子著，理論社，2004年。

◎ウィリアム・ドナルド・ハミルトン

1）Wikimedia Commons:
https://commons.wikimedia.org/wiki/File:Copris_ochus_Motschulsky,_1860_male_(4510276029).jpg

2）『虫を愛し、虫に愛された人──理論生物学者ウィリアム・ハミルトン　人と思索』ウィリアム・ハミルトン著／長谷川眞理子編，文一総合出版，2000年。

偉人名言参考文献

◎アントニー・ファン・レーウェンフック

　『レーベンフックの手紙』クリフォード・ドーベル著／天児和暢訳，九州大学出版会，
　　2003年。

◎カール・リンネ

　『神罰』カール・フォン・リンネ著／ヴォルフ・レペニース，ラルス・グスタフソン編
　　／小川さくえ訳，法政大学出版局，1995年。

◎グレゴール・ヨハン・メンデル

　『メンデル——遺伝の秘密を探して』オーウェン・ギンガリッチ編集代表／エドワード・
　　イーデルソン著／西田美緒子訳，大月書店，2008年。

◎イワン・ペトローヴィチ・パブロフ

　『パウロフ学説——理論と臨床』ストロガーノフ他著／東京大学ソヴェト医学研究会訳，
　　岩崎新書，1956年。

◎牧野富太郎

　『牧野富太郎自叙伝 第一部 牧野富太郎自叙伝』牧野富太郎著，青空文庫，2014年。

◎バーバラ・マクリントック

　『動く遺伝子——トウモロコシとノーベル賞』エブリン・フォックス・ケラー著／石館
　　三枝子，石館康平訳，晶文社，1987年。

◎コンラート・ローレンツ

　『ソロモンの指環——動物行動学入門 改訂版』コンラート・ローレンツ著／日高敏隆訳，
　　早川書房，1987年。

◎ロザリンド・フランクリン

『ダークレディと呼ばれて──二重らせん発見とロザリンド・フランクリンの真実』ブレンダ・マドックス著／福岡伸一監訳／鹿田昌美訳，化学同人，2005年。

◎ダイアン・フォッシー

『霧のなかのゴリラ──マウンテンゴリラとの13年』ダイアン・フォッシー著／羽田節子，山下恵子訳，早川書房，1986年。

◎ウィリアム・ドナルド・ハミルトン

『虫を愛し，虫に愛された人──理論生物学者ウィリアム・ハミルトン　人と思索』ウィリアム・ハミルトン著／長谷川眞理子編，文一総合出版，2000年。

協力者一覧
（敬称略）

◎アントニー・ファン・レーウェンフック
　原　　徹　　国立研究開発法人物質・材料研究機構 構造材料研究センター グループリーダー

◎カール・リンネ
　吉里　勝利　　広島大学 名誉教授，大阪公立大学大学院医学研究科 特任教授

◎メアリー・アニング
　冨田　幸光　　独立行政法人国立科学博物館 名誉研究員

◎グレゴール・ヨハン・メンデル
　宮尾　光恵　　東北大学 名誉教授

◎ジャン＝アンリ・ファーブル
　片桐　千伢　　株式会社数理設計研究所 研究員

◎イワン・ペトローヴィチ・パブロフ
　田中　啓治　　国立研究開発法人理化学研究所脳神経科学研究センター 特別顧問

◎牧野富太郎
　村上　哲明　　東京都立大学理学部生命科学科（牧野標本館） 教授

◎バーバラ・マクリントック
　廣近　洋彦　　国立研究開発法人農業生物資源研究所 元理事長

◎今西錦司
　金井塚　務　　広島フィールドミュージアム 代表

◎コンラート・ローレンツ
　　岡ノ谷一夫　　帝京大学先端総合研究機構 教授

◎ロザリンド・フランクリン
　　長瀬　隆弘　　公益財団法人かずさDNA研究所 広報・教育支援グループ 特任研究員

◎ダイアン・フォッシー
　　山極　壽一　　総合地球環境学研究所 所長

◎ウィリアム・ドナルド・ハミルトン
　　岡島　秀治　　東京農業大学 名誉教授
　　小島　弘昭　　東京農業大学農学部 教授

サイエンス探究シリーズ
偉人たちの挑戦5　　生物学編

2024年 6 月10日 第1版1刷発行　　　　　ISBN 978-4-501-63530-5 C0040

編　者　東京電機大学
　　　　© Tokyo Denki University 2024

発行所　学校法人 東京電機大学　　〒120-8551　東京都足立区千住旭町5番
　　　　東京電機大学出版局　　　　Tel. 03-5284-5386（営業）03-5284-5385（編集）
　　　　　　　　　　　　　　　　　Fax. 03-5284-5387 振替口座 00160-5-71715
　　　　　　　　　　　　　　　　　https://www.tdupress.jp/

組版：徳保企画　　印刷・製本：(株)ルナテック
装丁：福田和雄（FUKUDA DESIGN）
偉人イラストレーション：三立工芸(株)
落丁・乱丁本はお取り替えいたします。　　　　　　　　Printed in Japan

本書は，国立研究開発法人科学技術振興機構の制作協力のもと映像コンテンツ
「偉人たちの夢」をもとに著作物として制作し刊行したものである。

サイエンス探究シリーズ

偉人たちの挑戦

東京電機大学 編

科学で偉大な発見・発明をした偉人の業績と生涯を分野別に紹介するシリーズ。会話調の平易な語りと多数イラストで興味関心を深められ，大人の教養書にも最適。 （制作協力:科学技術振興機構）

偉人たちの挑戦 1
数学・天文学・地学編

ブレーズ・パスカル／関 孝和／レオンハルト・オイラー／カール・フリードリッヒ・ガウス／ソーニャ・コワレフスカヤ／シュリニヴァーサ・ラマヌジャン／アラン・チューリング／ニコラウス・コペルニクス／ガリレオ・ガリレイ／ヨハネス・ケプラー／エドモンド・ハレー／ウィリアム・ハーシェル／伊能忠敬／ウィリアム・スミス／ハインリッヒ・エドムント・ナウマン／アルフレッド・ウェゲナー／エドウィン・ハッブル

偉人たちの挑戦 2
物理学編 I

ロバート・ボイル／ロバート・フック／アイザック・ニュートン／ベンジャミン・フランクリン／ジェームズ・ワット／ゲオルク・ジーモン・オーム／マイケル・ファラデー／ケルヴィン卿（ウィリアム・トムソン）／ジェームズ・クラーク・マクスウェル／ヴィルヘルム・レントゲン／J・J・トムソン／マックス・プランク／長岡半太郎／マリー・キュリー／寺田寅彦／リーゼ・マイトナー／アルベルト・アインシュタイン

偉人たちの挑戦 3
物理学編 II

ニールス・ボーア／ヘンリー・モーズリー／エルヴィン・シュレーディンガー／仁科芳雄／ブラッグ親子／ジェームズ・チャドウィック／ルイ・ド・ブロイ／中谷宇吉郎／エンリコ・フェルミ／アーネスト・ローレンス／ヴェルナー・ハイゼンベルク／ポール・ディラック／朝永振一郎／湯川秀樹／湯浅年子／ウィリアム・ショックレー／坂田昌一／リチャード・ファインマン

偉人たちの挑戦 4
化 学 編

アントワーヌ・ラヴォワジエ／アレッサンドロ・ボルタ／ユストゥス・フォン・リービッヒ／ドミトリー・メンデレーエフ／アーネスト・ラザフォード／鈴木梅太郎／オットー・ハーン／保井コノ／黒田チカ／イレーヌ・ジョリオ＝キュリー／フレデリック・ジョリオ＝キュリー／グレン・シーボーグ

＊定価，図書目録のお問い合わせ・ご要望は出版局までお願いいたします。
https://www.tdupress.jp/